FRANCE

1:1 000 000

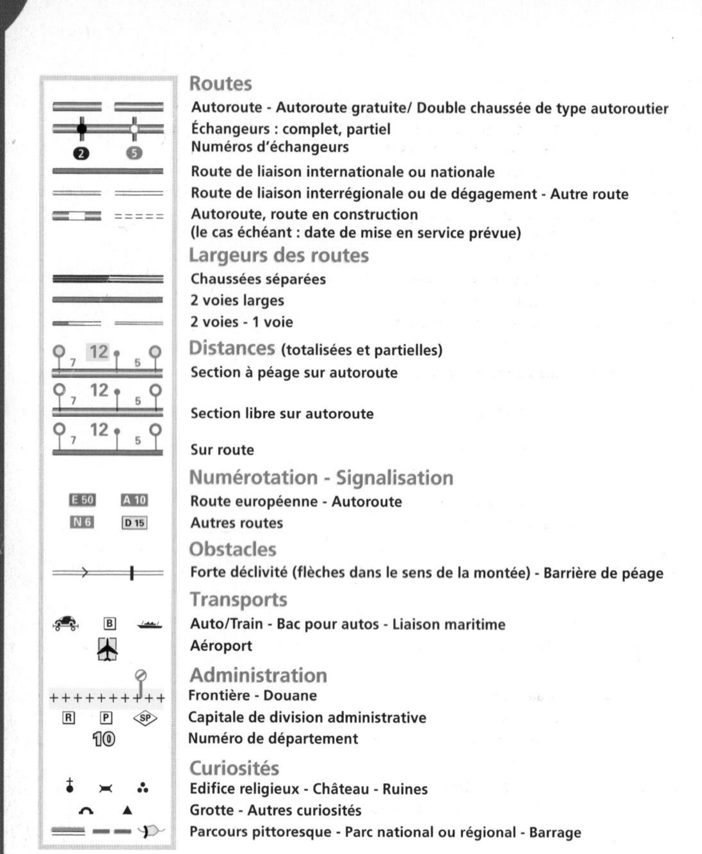

Routes

Autoroute - Autoroute gratuite/ Double chaussée de type autoroutier
Échangeurs : complet, partiel
Numéros d'échangeurs
Route de liaison internationale ou nationale
Route de liaison interrégionale ou de dégagement - Autre route
Autoroute, route en construction
(le cas échéant : date de mise en service prévue)

Largeurs des routes

Chaussées séparées
2 voies larges
2 voies - 1 voie

Distances (totalisées et partielles)

Section à péage sur autoroute

Section libre sur autoroute

Sur route

Numérotation - Signalisation

Route européenne - Autoroute
Autres routes

Obstacles

Forte déclivité (flèches dans le sens de la montée) - Barrière de péage

Transports

Auto/Train - Bac pour autos - Liaison maritime
Aéroport

Administration

Frontière - Douane
Capitale de division administrative
Numéro de département

Curiosités

Edifice religieux - Château - Ruines
Grotte - Autres curiosités
Parcours pittoresque - Parc national ou régional - Barrage

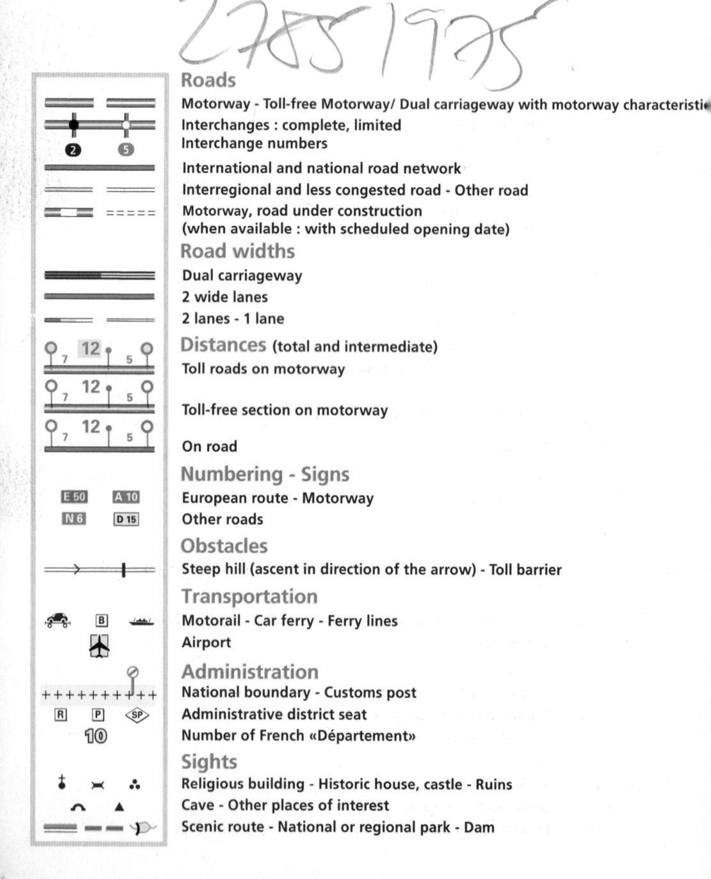

Roads

Motorway - Toll-free Motorway/ Dual carriageway with motorway characteristics
Interchanges : complete, limited
Interchange numbers
International and national road network
Interregional and less congested road - Other road
Motorway, road under construction
(when available : with scheduled opening date)

Road widths

Dual carriageway
2 wide lanes
2 lanes - 1 lane

Distances (total and intermediate)

Toll roads on motorway

Toll-free section on motorway

On road

Numbering - Signs

European route - Motorway
Other roads

Obstacles

Steep hill (ascent in direction of the arrow) - Toll barrier

Transportation

Motorail - Car ferry - Ferry lines
Airport

Administration

National boundary - Customs post
Administrative district seat
Number of French «Département»

Sights

Religious building - Historic house, castle - Ruins
Cave - Other places of interest
Scenic route - National or regional park - Dam

Straßen

Autobahn - Gebührenfreie Autobahn/Schnellstraße mit getrennten Fahrbahnen
Anschlussstellen : Voll - bzw. Teilanschlussstellen
Anschlussstellennummern
Internationale bzw.nationale Hauptverkehrsstraße
Überregionale Verbindungsstraße oder Umleitungsstrecke - Sonstige Straße
Autobahn, Straße im Bau
(ggf. voraussichtliches Datum der Verkehrsfreigabe)

Straßenbreiten

Getrennte Fahrbahnen
2 breite Fahrspuren
2 Fahrspuren - 1 Fahrspur

Entfernungen (Gesamt- und Teilentfernungen)

Mautstrecke auf der Autobahn

Mautfreie Strecke auf der Autobahn

Auf der Straße

Nummerierung - Wegweisung

Europastraße - Autobahn
Sonstige Straßen

Verkehrshindernisse

Starke Steigung (Steigung in Pfeilrichtung) - Mautstelle

Verkehrsmittel

Autoreisezug - Autofähre - Schiffsverbindungen
Flughafen

Verwaltung

Staatsgrenze - Zoll
Verwaltungshauptstadt
Nummer des Departements

Sehenswürdigkeiten

Sakral-Bau - Schloss, Burg - Ruine
Höhle - Sonstige Sehenswürdigkeit
Landschaftlich schöne Strecke - Nationalpark oder Naturpark - Staudamm

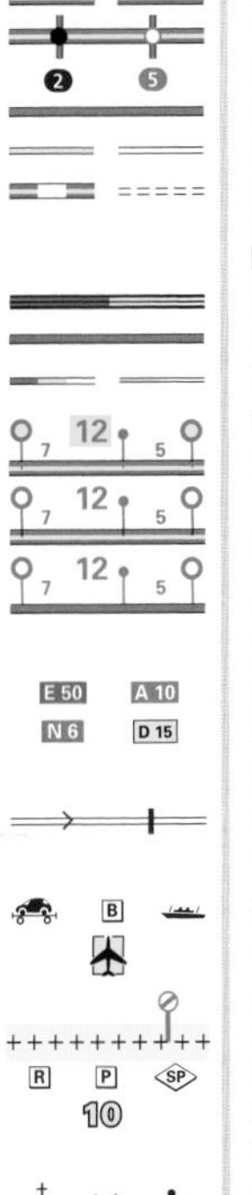

Strade

Autostrada - Autostrada gratuita/Doppia carreggiata di tipo autostradale
Svincoli : completo, parziale
Svincoli numerati
Strada di collegamento internazionale o nazionale
Strada di collegamento interregionale o di disimpegno - Altra strada
Autostrada, strada in costruzione
(data di apertura prevista)

Larghezza delle strade

Carreggiate separate
2 corsie larghe
2 corsie - 1 corsia

Distanze (totali e parziali)

Tratto a pedaggio su autostrada

Tratto esente da pedaggio su autostrada

Su strada

Numerazione - Segnaletica

Strada europea - Autostrada
Altre Strade

Ostacoli

Forte déclivité (flèches dans le sens de la montée) - Barrière de péage

Transports

Auto/treno - Trasporto auto su chiatta - Trasporto marittimo
Aeroporto

Amministrazione

Frontiera - Dogana
Capoluogo amministrativo
Numero di dipartimento

Mete e luoghi d'interesse

Edificio religioso - Castello - Rovine
Grotta - Altri luoghi d'interesse
Percorso pittoresco - Parco nazionale o regionale - Diga

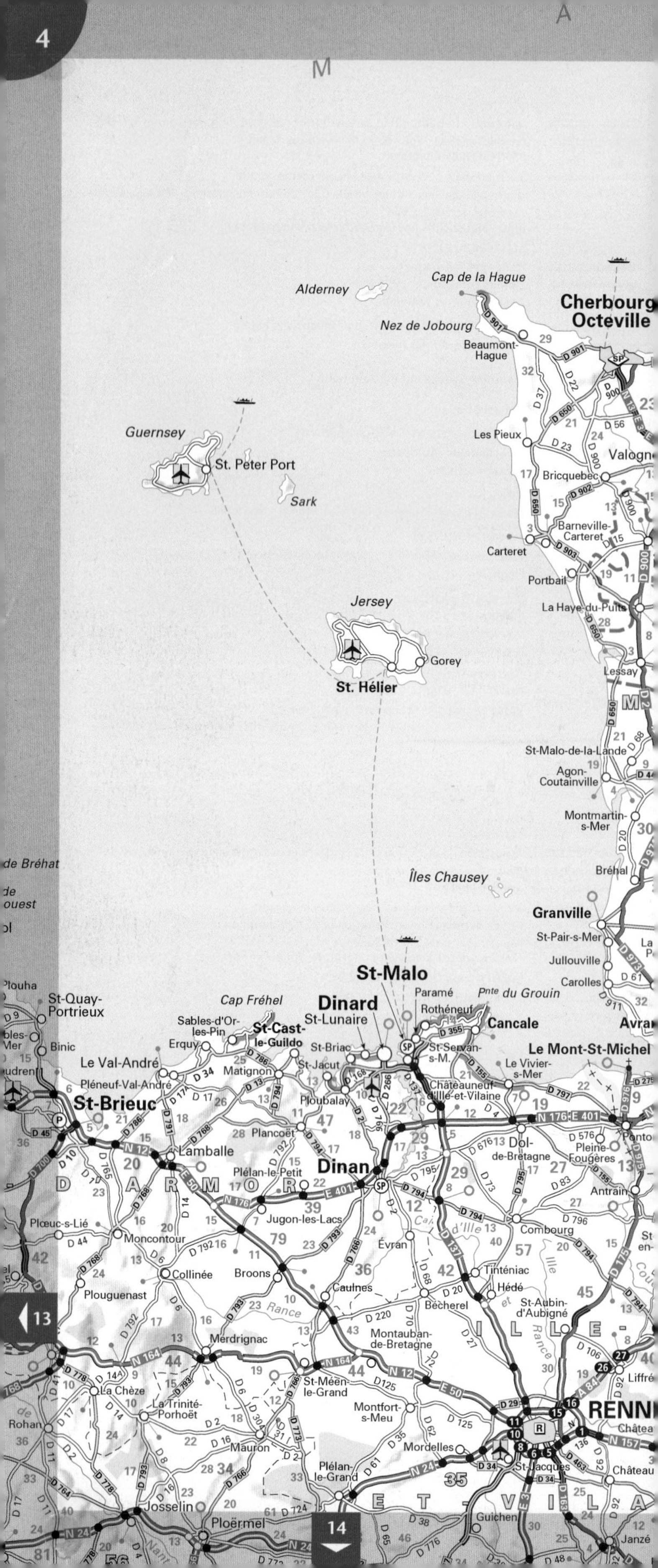

Alderney
Cap de la Hague
Nez de Jobourg
Cherbourg
Octeville
Beaumont-Hague
Guernsey
St. Peter Port
Sark
Les Pieux
Valognes
Bricquebec
Barneville-Carteret
Carteret
Portbail
La Haye-du-Puits
Jersey
Gorey
St. Hélier
Lessay
St-Malo-de-la-Lande
Agon-Coutainville
Montmartin-s-Mer
Bréhal
Îles Chausey
Granville
St-Pair-s-Mer
Jullouville
Carolles
St-Malo
Pointe du Grouin
Cap Fréhel
Dinard
Paramé
Rothéneuf
Cancale
St-Quay-Portrieux
Binic
Sables-d'Or-les-Pin
Erquy
St-Cast-le-Guildo
St-Lunaire
St-Briac
St-Servan-s-M.
Le Mont-St-Michel
Le Val-André
Pléneuf-Val-André
Matignon
St-Jacut
Le Vivier-s-Mer
Châteauneuf-d'Ille-et-Vilaine
St-Brieuc
Ploubalay
Plancoët
Dol-de-Bretagne
Pleine-Fougères
Lamballe
Dinan
Plélan-le-Petit
Antrain
Jugon-les-Lacs
Combourg
Plœuc-s-Lié
Moncontour
Évran
Collinée
Broons
Tinténiac
Hédé
Plouguenast
Caulnes
Bécherel
St-Aubin-d'Aubigné
Montauban-de-Bretagne
Merdrignac
Liffré
St-Méen-le-Grand
La Chèze
La Trinité-Porhoët
Montfort-s-Meu
Rohan
Mauron
Mordelles
Plélan-le-Grand
St-Jacques
Josselin
Ploërmel
Guichen
Janzé
RENNES

13

14

6

Pnte de Barfleur
St-Pierre-Église
D 901
Barfleur
D 902
D 26
Quettehou
St-Vaast-la-Hougue
D 14
D 42
Montebourg
N 13
Ste-Mère-Église
D 913
E 3
Douve
Carentan
Grandcamp-Maisy
Isigny-s-Mer
St-Laurent-s-Mer
D 514
Port-en-Bessin-Huppain
Arromanches-les-B.
St-Aubin-s-M.
Courseulles-s-M.
Langrune-s-M.
Luc-s-M.
Ouistreham
Lion-s-M.
Cabourg
Houlgate
Villers-s-M.
Blonville-s-M.
Deauville
Trouville-s-M.
Villerv
LE HAVRE
Ste-Adresse
Trévières
N 13
E 46
Bayeux
D 516
D 65
D 12
Creully
Douvres-la-D.
D 7
D 515
Merville-Franceville
Dives
D 513
St-Jean-de-Daye
N 174
D 971
St-Clair-s-l'Elle
D 572
D 15
D 5
D 6
D 22
CAEN
D 675
E 46
Dozulé
50
D 900
Vire
St-Lô
D 972
Balleroy
D 13
D 9
Tilly-s-S.
A 13
Troarn
Dives
Marigny
Sauveur-Lendelin
Caumont-l'Éventé
Villers-Bocage
D 28
E 401
A 84
D 613
Moult
D 47
Mézidon-Canon
Coutances
Canisy
Torigni-s-V.
D 8
Évrecy
D 41
D 40
Cerisy-la-Salle
D 999
Tessy-s-Vire
N 174
D 577
Aunay-s-Odon
CALVADOS
14
N 158
D 562
Orne
D 511
D 4
St-Pierre-s-Dives
Hambye
Percy
Le Bény-Bocage
365
Thury-Harcourt
Potigny
D 90
Villedieu-les-Poêles
E 401
D 674
D 56
D 55
Clécy
Falaise
Vire
D 924
D 524
St-Sever-Calvados
Vassy
D 512
Condé-s-Noireau
Pont-d'Ouilly
D 511
D 909
D 658
D 63
Trun
D 911
D 962
Flers
Tinchebray
Orne
D 958
A 88
D 916
Brécey
St-Pois
D 39
Sourdeval
Putanges-Pont-Écrepin
Écouché
Argentan
D 926
D 924
Sée
Messei
D 21
Juvigny-le-Tertre
D 157
Briouze
Nonant
Pontaubault
Mortain
D 977
D 18
D 909
D 916
Ducey
Sélune
Barenton
D 907
Domfront
D 908
La Ferté-Macé
Mortrée
61
St-Hilaire-du-Harcouët
D 976
St-James
D 30
Le Teilleul
D 335
Bagnoles-de-l'Orne
Carrouges
Juvigny-s/s-Andaine
Passais
Landivy
Couptrain
Louvigné-du-Désert
D 122
D 741
D 798
Lassay-les-Châteaux
D 176
Pré-en-Pail
417
Mt des Avalois
N 12
Ambrières-les-Vallées
D 118
D 806
D 33
D 177
Gorron
Javron-les-Chapelles
N 12
Fougères
D 107
D 34
D 113
Villaines-la-Juhel
D 119
Fresnay-s-Sarthe
Ernée
D 23
Mayenne
D 29
D 35
Bais
Chailland
MAYENNE
53
Mayenne
D 310
D 7
D 35
Sillé-le-Guillaume
Champeaux
D 777
D 178
D 31
N 162
D 24
D 20
Évron
D 304
D 137
Vitré
D 857
D 30
Montsûrs
D 32
D 310
Conlie
D 38
Ste-Suzanne
A 81
E 50
Argentré-du-Plessis
D 57
Loiron
Laval
D 57
E 50
St-Denis-d'Orques
A 81
E 50
Vaiges
D 357
LE MANS
Meslay-du-Maine
Cossé-le-Vivien
La Guerche
Loué
D 21

16

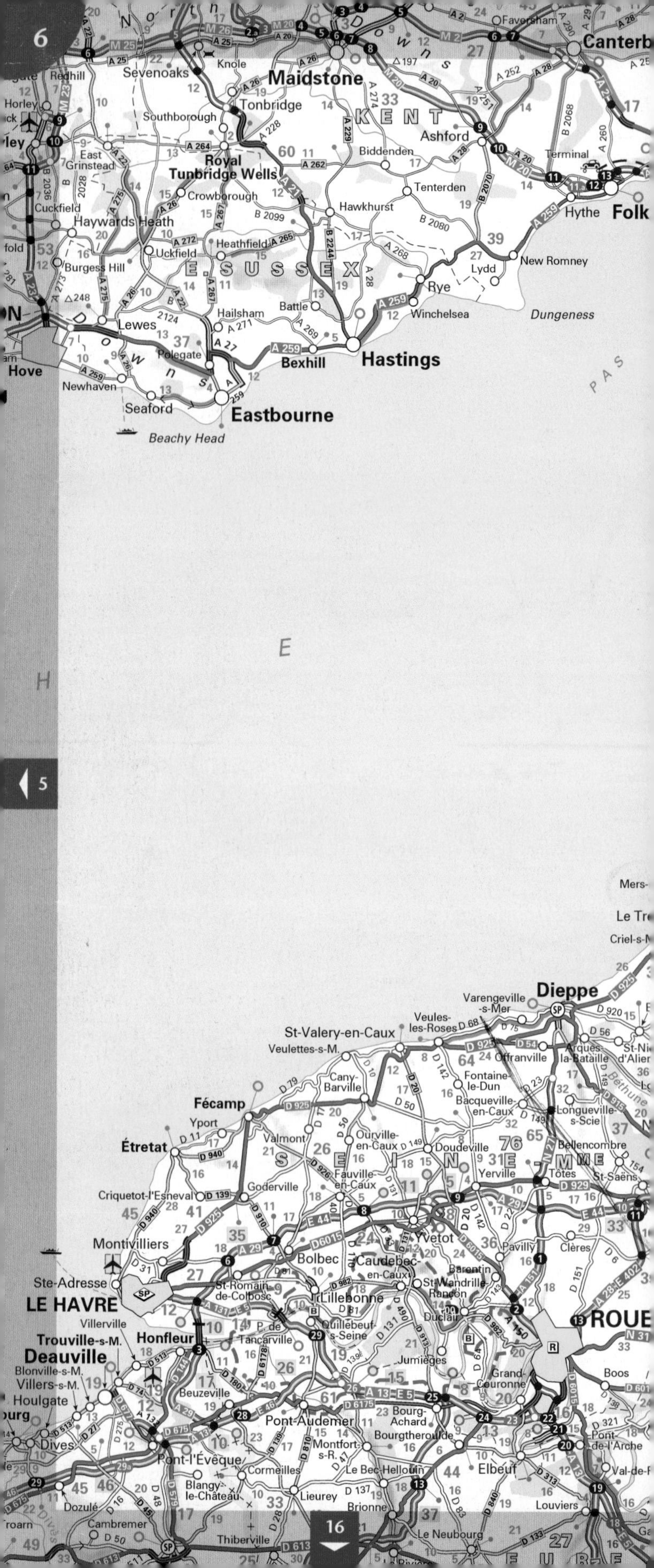
6
Maidstone
Canterbury
Faversham
Sevenoaks
Knole
Redhill
Horley
Tonbridge
Southborough
KENT
Ashford
Biddenden
Tenterden
Terminal
Hythe
Folk
East Grinstead
Royal Tunbridge Wells
Crowborough
Hawkhurst
Cuckfield
Haywards Heath
Heathfield
Uckfield
Burgess Hill
E. SUSSEX
Rye
Lydd
New Romney
Hailsham
Battle
Winchelsea
Dungeness
Lewes
Polegate
Bexhill
Hastings
Hove
Newhaven
Seaford
Eastbourne
Beachy Head
PAS
E
H
5
Mers-
Le Tr
Criel-s-M
Dieppe
Varengeville-s-Mer
Veules-les-Roses
St-Valery-en-Caux
Veulettes-s-M.
Offranville
Arques-la-Bataille
Cany-Barville
Fontaine-le-Dun
Bacqueville-en-Caux
Fécamp
Yport
Longueville-s-Scie
Étretat
Valmont
Ourville-en-Caux
Doudeville
Bellencombre
SEINE-MME
Yerville
Tôtes
St-Saëns
Criquetot-l'Esneval
Goderville
Fauville-en-Caux
Montivilliers
Yvetot
Pavilly
Clères
Bolbec
Caudebec-en-Caux
Barentin
Ste-Adresse
St-Romain-de-Colbosc
Lillebonne
St-Wandrille-Rançon
LE HAVRE
Villerville
Tancarville
Quillebeuf-s-Seine
Duclair
ROUEN
Trouville-s-M.
Honfleur
Deauville
Jumièges
Blonville-s-M.
Villers-s-M.
Beuzeville
Grand-Couronne
Boos
Houlgate
Pont-Audemer
Bourg-Achard
Bourgtheroulde
Dives
Pont-l'Évêque
Montfort-s-R.
Pont-de-l'Arche
Cormeilles
Le Bec-Hellouin
Elbeuf
Val-de-R
Blangy-le-Château
Lieurey
Brionne
Louviers
Dozulé
Cambremer
Thiberville
Le Neubourg
EURE
16

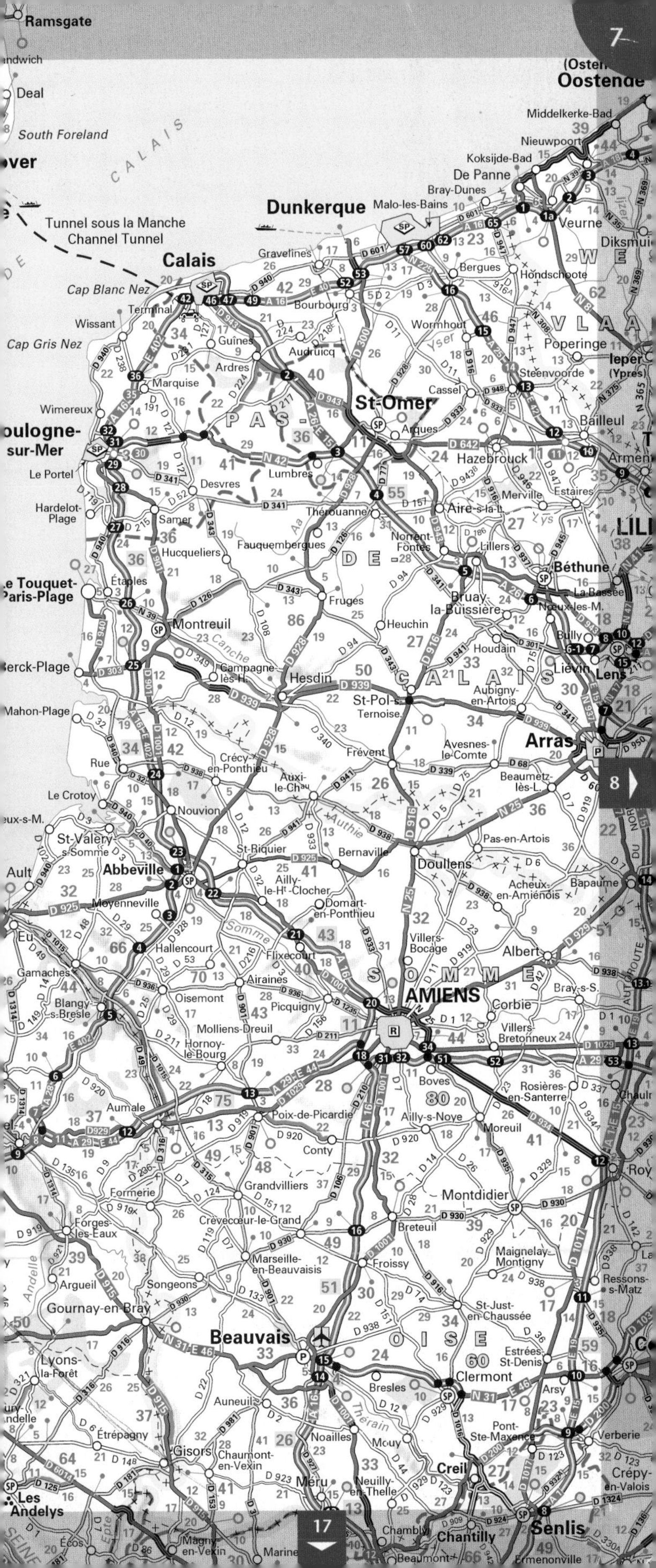

Ramsgate
Deal
South Foreland
CALAIS
Tunnel sous la Manche
Channel Tunnel
Dunkerque
Malo-les-Bains
Calais
Cap Blanc Nez
Wissant
Cap Gris Nez
Gravelines
Bourbourg
Guînes
Ardres
Audruicq
Marquise
Wimereux
Boulogne-sur-Mer
Le Portel
Desvres
Lumbres
St-Omer
Arques
Hardelot-Plage
Samer
Hucqueliers
Fauquembergues
Thérouanne
Étaples
Le Touquet-Paris-Plage
Montreuil
Berck-Plage
Campagne-lès-H.
Hesdin
Fruges
Heuchin
St-Pol-s-Ternoise
Frévent
Crécy-en-Ponthieu
Auxi-le-Château
Rue
Le Crotoy
Nouvion
St-Valery-s-Somme
Ault
Abbeville
St-Riquier
Ailly-le-Ht-Clocher
Domart-en-Ponthieu
Bernaville
Doullens
Moyenneville
Eu
Gamaches
Blangy-s-Bresle
Hallencourt
Oisemont
Airaines
Flixecourt
Picquigny
Molliens-Dreuil
Hornoy-le-Bourg
Aumale
Poix-de-Picardie
Conty
AMIENS
Corbie
Villers-Bretonneux
Boves
Ailly-s-Noye
Moreuil
Rosières-en-Santerre
Albert
Bray-s-S.
Villers-Bocage
Acheux-en-Amiénois
Bapaume
Pas-en-Artois
Beaumetz-lès-L.
Avesnes-le-Comte
Arras
Aubigny-en-Artois
Liévin
Lens
Houdain
Bruay-la-Buissière
Béthune
Lillers
Norrent-Fontes
Aire-s-la-L.
Hazebrouck
Merville
Estaires
Bailleul
Armentières
Cassel
Steenvoorde
Poperinge
Ieper (Ypres)
Wormhout
Bergues
Hondschoote
Bray-Dunes
De Panne
Koksijde-Bad
Nieuwpoort
Middelkerke-Bad
Oostende
Veurne
Diksmuide
Noeux-les-M.
La Bassée
Bully
Yser
Canche
Authie
Somme
PAS-DE-CALAIS
SOMME
OISE
Formerie
Grandvilliers
Forges-les-Eaux
Crèvecœur-le-Grand
Marseille-en-Beauvaisis
Songeons
Argueil
Gournay-en-Bray
Beauvais
Breteuil
Froissy
Montdidier
Maignelay-Montigny
St-Just-en-Chaussée
Ressons-s-Matz
Estrées-St-Denis
Clermont
Bresles
Auneuil
Noailles
Mouy
Lyons-la-Forêt
Étrépagny
Gisors
Chaumont-en-Vexin
Méru
Neuilly-en-Thelle
Creil
Pont-Ste-Maxence
Verberie
Crépy-en-Valois
Senlis
Chantilly
Chambly
Les Andelys
Écos
Magny-en-Vexin
Ermenonville
Thérain
Andelle
Epte

8

17

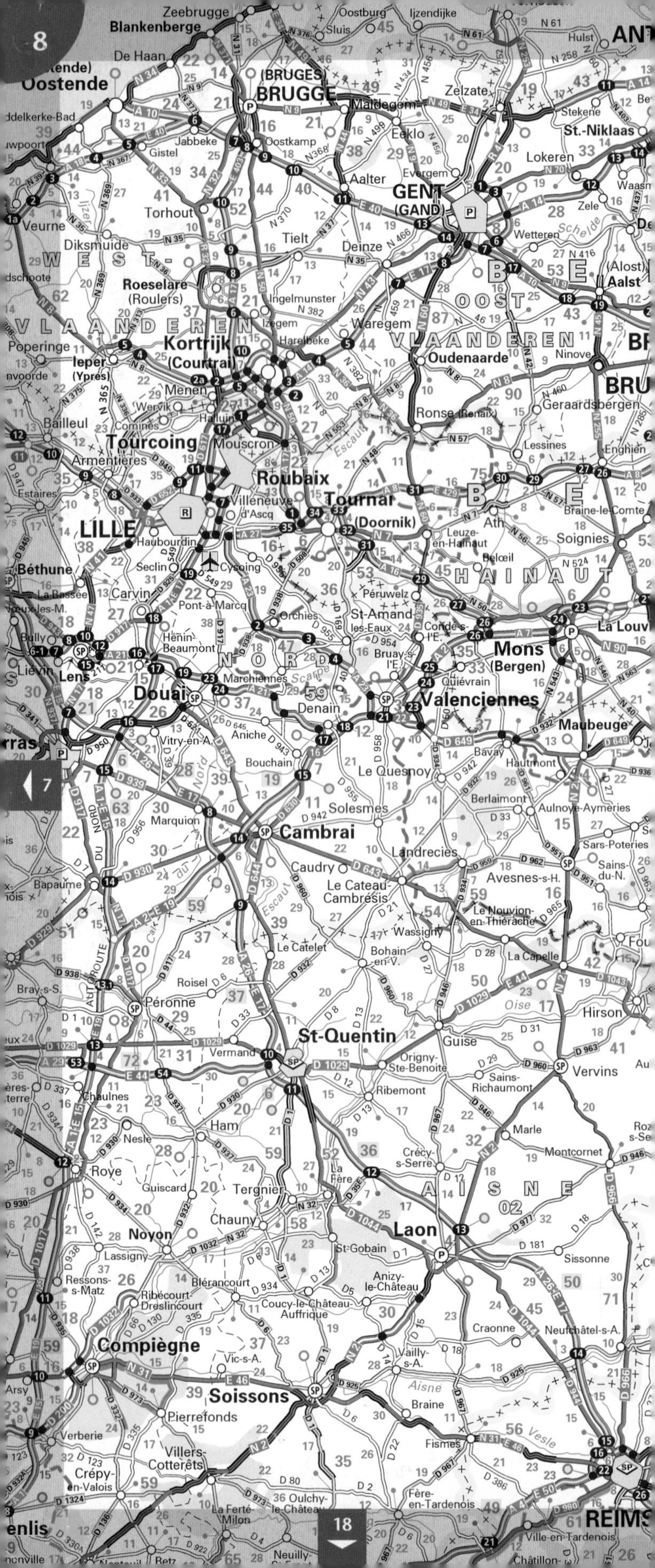
Zeebrugge
Blankenberge
Oostburg
Sluis
Ijzendijke
Hulst
De Haan
Oostende
(BRUGES)
BRUGGE
Maldegem
Zelzate
Stekene
St.-Niklaas
Middelkerke-Bad
Gistel
Jabbeke
Oostkamp
Eeklo
Evergem
Lokeren
Aalter
GENT
(GAND)
Zele
Veurne
Torhout
Tielt
Deinze
Wetteren
Diksmuide
Schelde
(Alost)
Aalst
W E S T -
Roeselare
(Roulers)
Ingelmunster
Izegem
O O S T
V L A A N D E R E N
Poperinge
Kortrijk
(Courtrai)
Harelbeke
Waregem
Oudenaarde
Ninove
Ieper
(Ypres)
Menen
Wervik
Comines
Halluin
Ronse (Renaix)
Geraardsbergen
Bailleul
Tourcoing
Mouscron
Lessines
Enghien
Armentières
Roubaix
Tournai
(Doornik)
Estaires
LILLE
Villeneuve-d'Ascq
Ath
Braine-le-Comte
Haubourdin
Leuze-en-Hainaut
Soignies
Béthune
Seclin
Cysoing
Belœil
H A I N A U T
La Bassée
Carvin
Péruwelz
Pont-à-Marcq
Orchies
St-Amand-les-Eaux
Condé-s-l'E.
La Louvière
Bully
Hénin-Beaumont
N O R D
Mons
(Bergen)
Liévin
Lens
Marchiennes
Scarpe
Bruay-s-l'E.
Quiévrain
Douai
Denain
Valenciennes
Maubeuge
Vitry-en-A.
Aniche
Bouchain
Bavay
Hautmont
Le Quesnoy
Berlaimont
Aulnoye-Aymeries
Solesmes
Marquion
Cambrai
Sars-Poteries
Landrecies
Bapaume
Caudry
Le Cateau-Cambrésis
Avesnes-s-H.
Sains-du-N.
Le Nouvion-en-Thiérache
Wassigny
Le Catelet
Bohain-en-V.
La Capelle
Bray-s-S.
Roisel
Péronne
Oise
Hirson
St-Quentin
Guise
Vermand
Origny-Ste-Benoite
Vervins
Chaulnes
Ribemont
Sains-Richaumont
Ham
Marle
Nesle
Crécy-s-Serre
Montcornet
Roye
Guiscard
Tergnier
La Fère
A I S N E
02
Chauny
Laon
Noyon
Lassigny
St-Gobain
Sissonne
Ressons-s-Matz
Blérancourt
Anizy-le-Château
Ribécourt-Dreslincourt
Coucy-le-Château-Auffrique
Craonne
Neufchâtel-s-A.
Compiègne
Vic-s-A.
Vailly-s-A.
Aisne
Soissons
Braine
Pierrefonds
Verberie
Villers-Cotterêts
Fismes
Vesle
Crépy-en-Valois
Oulchy-le-Château
Fère-en-Tardenois
La Ferté-Milon
Neuilly-
REIMS
Ville-en-Tardenois
Châtillon-
Senlis

7
18

Turnhout
Arendonk
Brasschaat
Oostmalle
ANTWERPEN
Kasterlee
Lommel
Herentals
Mol
Geel
Hechtel
Bree
Lier
Kontich
Boom
Heist-op-den-Berg
Westerlo
Leopoldsburg
Maaseik
Herselt
Beringen
(Malines)
Mechelen
Diest
As
Keerbergen
Genk
Maasmechelen
Vilvoorde
Herk
Hasselt
Lanaken
BRABANT
Bitzen
Leuven (Louvain)
Zoutleeuw
Tienen
LIMBURG
Maastr
St.-Truiden
Tervuren
Overijse
Tongeren
Wavre
Jodoigne
Herstal
Waterloo
BRABANT WALLON
Hannut
Waremme
Louvain-la-Neuve
LIÈGE
Eghezée
Seraing
Genappe
Villers-la-Ville
Gembloux
Amay
Fleurus
Sougné-Remouchamps
Huy
Aywaille
Gosselies
Namur
Andenne
Hamoir
Châtelet
Fosses-la-Ville
Havelange
Charleroi
Profondeville
Durbuy
NAMUR
Annevoie-Rouillon
Yvoir
Ciney
Erezée
Dinant
Hotton
Florennes
Marche-en-Famenne
Hastière
Waulsort
Rochefort
La Roche-en-Ardenne
Philippeville
Givet
Han-s-Lesse
Bre de Champlon
Vireux-Wallerand
Beauraing
Wellin
Chimay
Couvin
St-Hubert
Fumay
Rocroi
Revin
Paliseul
Mon Idée
Monthermé
Vresse-s-Semois
Renwez
Chau-Regnault
Rochehaut
Bertrix
Neufchâteau
Rumigny
Nouzonville
Bouillon
Semois
Charleville-Mézières
Sedan
Florenville
Haba-la-Neu
Flize
Villers-devt-Orval
Poix-Terron
Raucourt-et-Flaba
Carignan
Mouzon
Avioth
Virton
ARDENNES
Longw
Montmédy
Rethel
Le Chesne
Attigny
Stenay
Chiers
Buzancy
Dun-s-Meuse
Juniville
Machault
Vouziers
Grandpré
Damvillers
Spincourt
Monthois
Aisne
Montfaucon-d'Argonne
Varennes-en-Argonne
Étain
Charny-s-Meuse
Ville-s-Tourbe
Verdun
Suippes
Ste-Menehould
Clermont-en-Argonne
Mourmelon
Meuse
Albert Kanaal
Demer
Dijle
Ourthe

LUXEMBOURG
Luxembourg
Arlon (Aarlen)
Bastogne
Houffalize
Clervaux
Wiltz
Vianden
Esch-s-S.
Ettelbrück
Diekirch
Echternach
Mersch
Redange
Martelange
Habay-la-Neuve
Virton
Aubange
Pétange
Longwy
Differdange
Esch-s-A.
Dudelange
Mondorf-les-Bains
Remich
Grevenmacher
Oberbillig
Pronsfeld
Schönecken
Waxweiler
Neuerburg
Dasburg
Bitburg
Kyllburg
Manderscheid
Wittlich
Schweich
Ehrang
Ruwer
Trier
Konz
Saarburg
Trassem
Zerf
Losheim
Mettlach
Merzig
Lebach
Dillingen
Saarlouis
Völklingen
Sierck-les-Bains
Cattenom
Hettange-Grande
Audun-le-T.
Villerupt
Aumetz
Fontoy
Thionville
Metzervisse
Uckange
Hayange
Fameck
Hagondange
Bouzonville
Longuyon
Audun-le-Roman
Spincourt
Piennes
Briey
Rombas
Maizières-lès-Metz
Boulay-Moselle
Creutzwald
Petite-Rosselle
Freyming-Merlebach
Carling
Étain
Conflans-en-Jarnisy
Woippy
Jarny
Mars-la-Tour
METZ
St-Avold
Faulquemont
Fresnes-en-Woëvre
Chambley-Bussières
Ars-s-Moselle
Verny
Grostenquin
Pagny-s-Moselle
Thiaucourt-Regniéville
Vigneulles-lès-Hattonchâtel
Lac de Madine
Pont-à-Mousson
Nomeny
Delme
Morhange
St-Mihiel
Blénod
Château-Salins
Rambucourt
Dieulouard
Dieuze
Domèvre-en-Haye
Frouard
Commercy
Liverdun
Arracourt
NANCY
St-Nicolas-de-P.
Toul
Foug
Void-Vacon
Neuves-Maisons
Dombasle
Lunéville
Pont-St-Vincent
Vaucouleurs
Dameleviéres
Blainville-s-l'Eau
Gondrecourt-le-Château
Colombey-les-Belles
Vézelise
Bayon
Gerbéviller
Haroué
Baccarat
Domrémy-la-Pucelle
Coussey
Charmes
Rambervillers
Neufchâteau
Châtel-s-M.
Liffol-le-Grand
Mirecourt
Nomexy
Châtenois
Dompaire
Thaon-les-Vosges
Vittel
Bulgnéville
Bourmont
Contrexéville
Épinal
Granges-s-Vologne
Martigny-les-Bains
Darney
Éloyes
Clefmont
Lamarche
Xertigny
St-Amé
Remiremont
Nogent
Bains
Plombières
Chiers
Orne
Moselle
Meuse
Saar
Sûre
Our
Meurthe
Madon
Seille
Nied
Gge du Loup
MEURTHE-ET-MOSELLE
MOSELLE
VOSGES
SAAR
RHEI
MEUSE
HTE-MARNE
54
57
88
9
20

WIESBADEN
MAINZ
Bingen
Bad Kreuznach
Alzey
Worms
Frankenthal
Ludwigshafen
Kaiserslautern
Neustadt an der Weinstraße
Speyer
Landau in der Pfalz
Homburg
Zweibrücken
Neunkirchen
SAARBRÜCKEN
Pirmasens
Sarreguemines
Bitche
Wissembourg
Haguenau
Saverne
STRASBOURG
Kehl
Molsheim
Obernai
Offenburg
Baden-Baden
Sélestat
COLMAR
FREIBURG IM BREISGAU
Emmendingen
Breisach am Rhein
Idar-Oberstein
Sankt Wendel
Rastatt

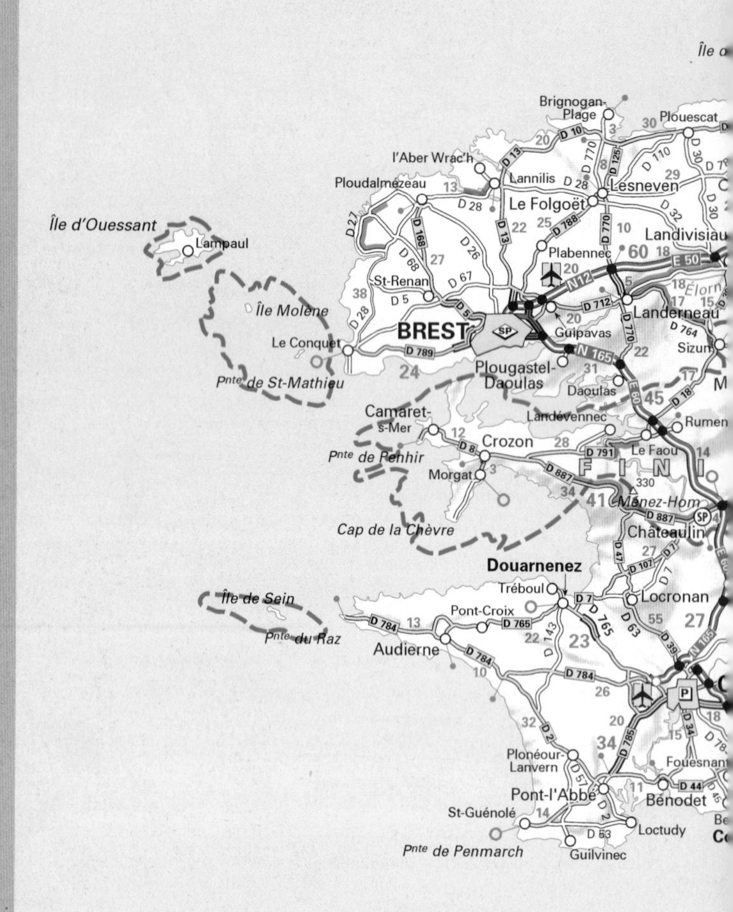
Île d'Ouessant
Lampaul
Île Molène
Le Conquet
Pnte de St-Mathieu
Brignogan-Plage
Plouescat
l'Aber Wrac'h
Ploudalmézeau
Lannilis
Le Folgoët
Lesneven
Landivisiau
Plabennec
St-Renan
BREST
Guipavas
Landerneau
Sizun
Plougastel-Daoulas
Daoulas
Camaret-s-Mer
Landévennec
Rumen
Crozon
Le Faou
Pnte de Penhir
Morgat
Ménez-Hom
Châteaulin
Cap de la Chèvre
Douarnenez
Tréboul
Locronan
Île de Sein
Pont-Croix
Pnte du Raz
Audierne
Plonéour-Lanvern
Fouesnant
Pont-l'Abbé
Bénodet
St-Guénolé
Loctudy
Guilvinec
Pnte de Penmarch
Îles de Glénan

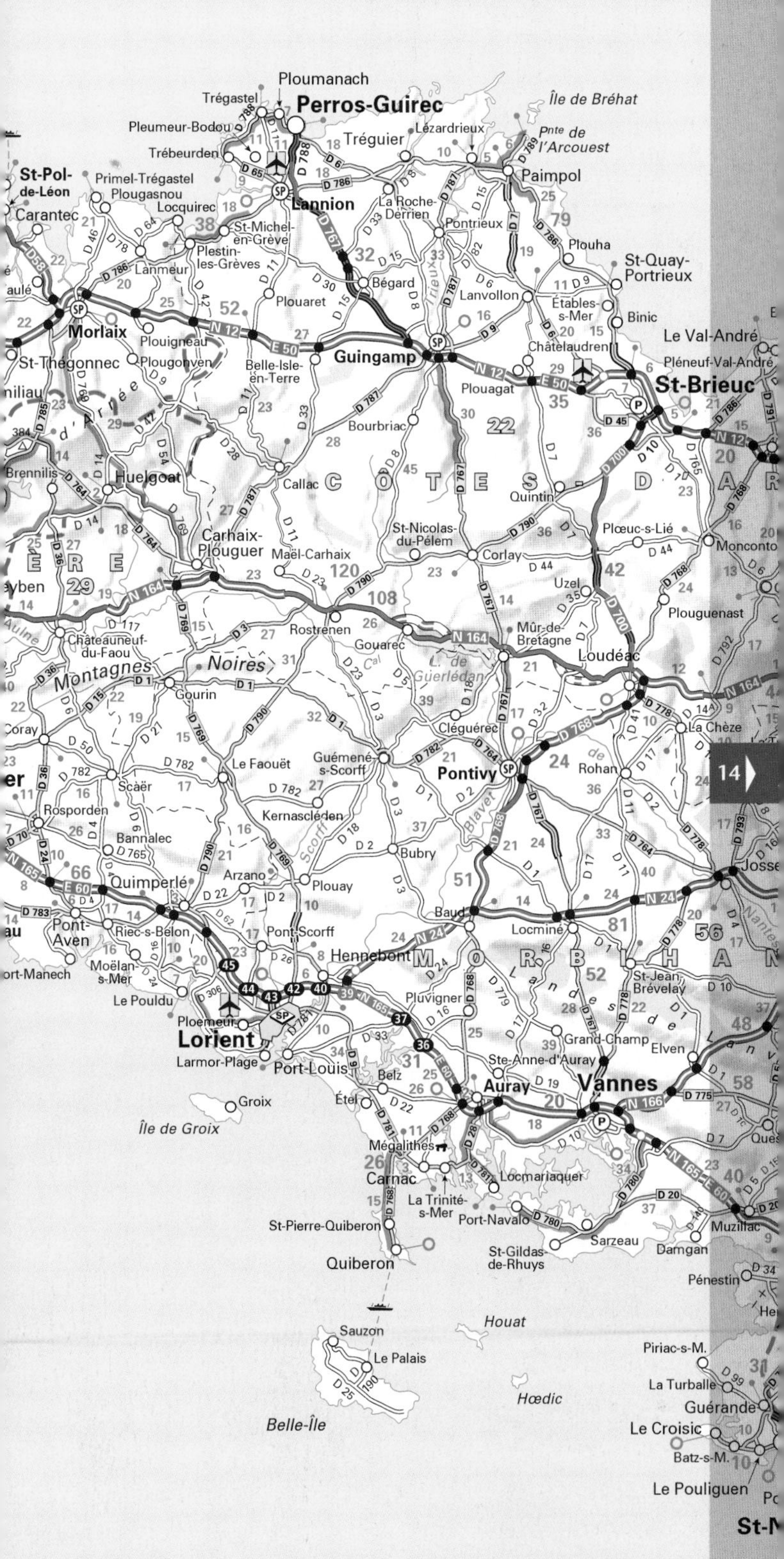

Perros-Guirec
Lannion
Morlaix
Guingamp
St-Brieuc
Paimpol
Tréguier
Carhaix-Plouguer
Rostrenen
Loudéac
Pontivy
Quimperlé
Lorient
Hennebont
Auray
Vannes
Quiberon
Belle-Île
Île de Groix
Houat
Hœdic
Île de Bréhat
CÔTES D'ARMOR
MORBIHAN
FINISTÈRE
Montagnes Noires
Landes de Lanvaux
L. de Guerlédan
Le Croisic
Guérande
La Turballe
Le Pouliguen
Batz-s-M.
Sarzeau
Muzillac
Damgan
Pénestin
Carnac
Locmariaquer

14

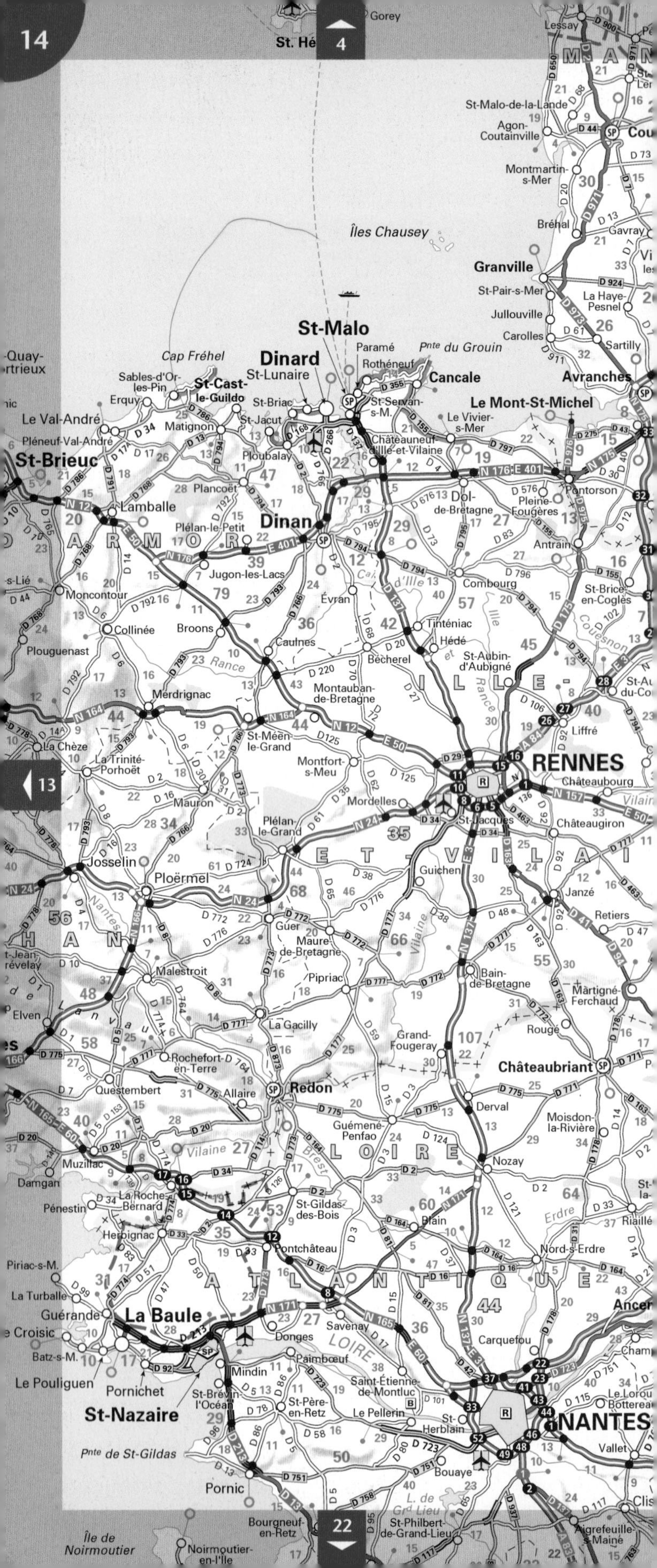

4
13
22
Gorey
St. Hé
Lessay
St-Malo-de-la-Lande
Agon-Coutainville
Montmartin-s-Mer
Bréhal
Gavray
Îles Chausey
Granville
St-Pair-s-Mer
La Haye-Pesnel
Jullouville
Carolles
Sartilly
St-Malo
Paramé
Pnte du Grouin
Rothéneuf
Cancale
Avranches
Cap Fréhel
Dinard
St-Lunaire
Sables-d'Or-les-Pins
St-Cast-le-Guildo
Erquy
St-Briac
St-Servan-s-M.
Le Mont-St-Michel
Le Val-André
Matignon
St-Jacut
Le Vivier-s-Mer
Pléneuf-Val-André
Châteauneuf-d'Ille-et-Vilaine
St-Brieuc
Ploubalay
Pontorson
Plancoët
Dol-de-Bretagne
Pleine-Fougères
Lamballe
Dinan
Plélan-le-Petit
Antrain
ARMOR
Jugon-les-Lacs
Combourg
Moncontour
Évran
St-Brice-en-Coglès
Collinée
Broons
Tinténiac
Hédé
Plouguenast
Caulnes
Bécherel
St-Aubin-d'Aubigné
Rance
Montauban-de-Bretagne
St-Aubin-du-Cormier
Merdrignac
Liffré
La Chèze
St-Méen-le-Grand
La Trinité-Porhoët
Montfort-s-Meu
RENNES
Châteaubourg
Mauron
Mordelles
St-Jacques
Plélan-le-Grand
Châteaugiron
Josselin
Ploërmel
Guichen
Janzé
Retiers
Guer
Maure-de-Bretagne
Malestroit
Pipriac
Bain-de-Bretagne
Martigné-Ferchaud
Elven
La Gacilly
Rougé
Grand-Fougeray
Rochefort-en-Terre
Châteaubriant
Questembert
Allaire
Redon
Derval
Guémené-Penfao
Moisdon-la-Rivière
Vilaine
Muzillac
Nozay
Damgan
La Roche-Bernard
St-Gildas-des-Bois
Pénestin
Blain
Riaillé
Herbignac
Pontchâteau
Nord-s-Erdre
Piriac-s-M.
La Turballe
Guérande
La Baule
Savenay
Le Croisic
Donges
Carquefou
Batz-s-M.
Paimbœuf
Le Pouliguen
Pornichet
Mindin
Saint-Étienne-de-Montluc
St-Nazaire
St-Brevin-l'Océan
St-Père-en-Retz
Le Pellerin
St-Herblain
NANTES
Pnte de St-Gildas
Vallet
Bouaye
Pornic
L. de Grd Lieu
Bourgneuf-en-Retz
St-Philbert-de-Grand-Lieu
Île de Noirmoutier
Noirmoutier-en-l'Île
Aigrefeuille-s-Maine
ILLE-ET-VILAINE
LOIRE-ATLANTIQUE
N 12
N 24
N 164
N 165
N 171
N 176
N 137
E 50
E 401
E 3
E 60

5
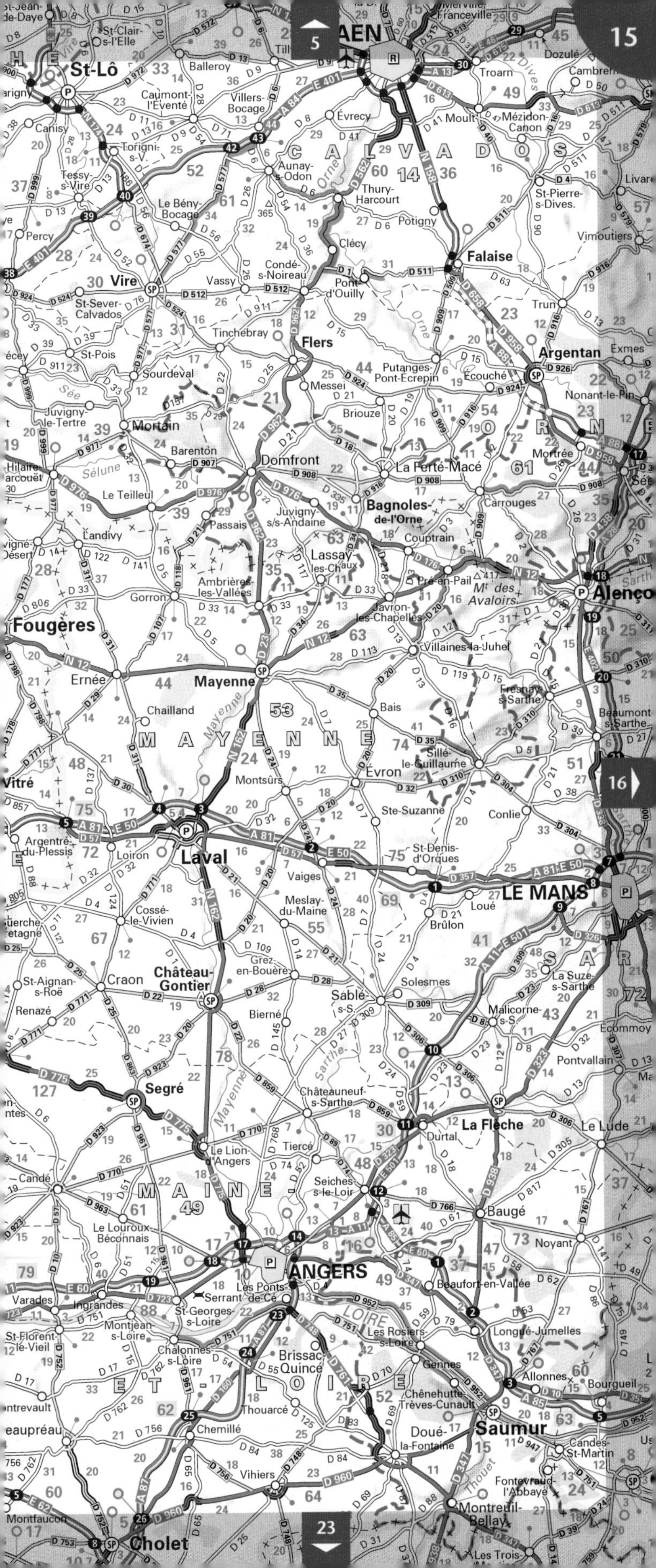
Caen
St-Lô
Balleroy
Caumont-l'Éventé
Villers-Bocage
Évrecy
Troarn
Dozulé
Moult
Mézidon-Canon
Canisy
Torigni-s-V.
Tessy-s-Vire
Aunay-s-Odon
Thury-Harcourt
Potigny
St-Pierre-s-Dives.
Vimoutiers
Le Bény-Bocage
Percy
Clécy
Falaise
Condé-s-Noireau
Vassy
Pont-d'Ouilly
Vire
St-Sever-Calvados
Trun
Tinchebray
Flers
Argentan
Exmes
St-Pois
Sourdeval
Messei
Putanges-Pont-Écrepin
Écouché
Nonant-le-Pin
Juvigny-le-Tertre
Mortain
Briouze
Barenton
Domfront
La Ferté-Macé
Mortrée
Sées
Le Teilleul
Juvigny-s/s-Andaine
Bagnoles-de-l'Orne
Carrouges
Passais
Landivy
Couptrain
Lassay-les-Châteaux
Pré-en-Pail
Mt des Avaloirs
Alençon
Gorron
Ambrières-les-Vallées
Javron-les-Chapelles
Fougères
Villaines-la-Juhel
Ernée
Mayenne
Fresnay-s-Sarthe
Bais
Beaumont-s-Sarthe
Chailland
MAYENNE
Évron
Sillé-le-Guillaume
Vitré
Montsûrs
Ste-Suzanne
Conlie
Argentré-du-Plessis
Loiron
Laval
St-Denis-d'Orques
Vaiges
Le Mans
Loué
Brûlon
Cossé-le-Vivien
Meslay-du-Maine
Grez-en-Bouère
La Suze-s-Sarthe
St-Aignan-s-Roë
Craon
Château-Gontier
Solesmes
Sablé-s-S.
Renazé
Bierné
Malicorne-s-S.
Écommoy
Pontvallain
Segré
Châteauneuf-s-Sarthe
La Flèche
Le Lude
Le Lion-d'Angers
Tiercé
Durtal
Candé
Seiches-s-le-Loir
Baugé
MAINE
Le Louroux-Béconnais
Noyant
Angers
Beaufort-en-Vallée
Varades
Ingrandes
Les Ponts-de-Cé
St-Georges-s-Loire
Montjean-s-Loire
Longué-Jumelles
St-Florent-le-Vieil
Chalonnes-s-Loire
Les Rosiers-s-Loire
Gennes
Brissac-Quincé
Allonnes
Bourgueil
Chênehutte-Trèves-Cunault
Thouarcé
Saumur
Beaupréau
Chemillé
Doué-la-Fontaine
Candes-St-Martin
Vihiers
Fontevraud-l'Abbaye
Montfaucon
Cholet
Montreuil-Bellay
Les Trois-
LOIRE
Orne
Sarthe
Mayenne
Thouet
CALVADOS
ORNE
SARTHE
16
23

6

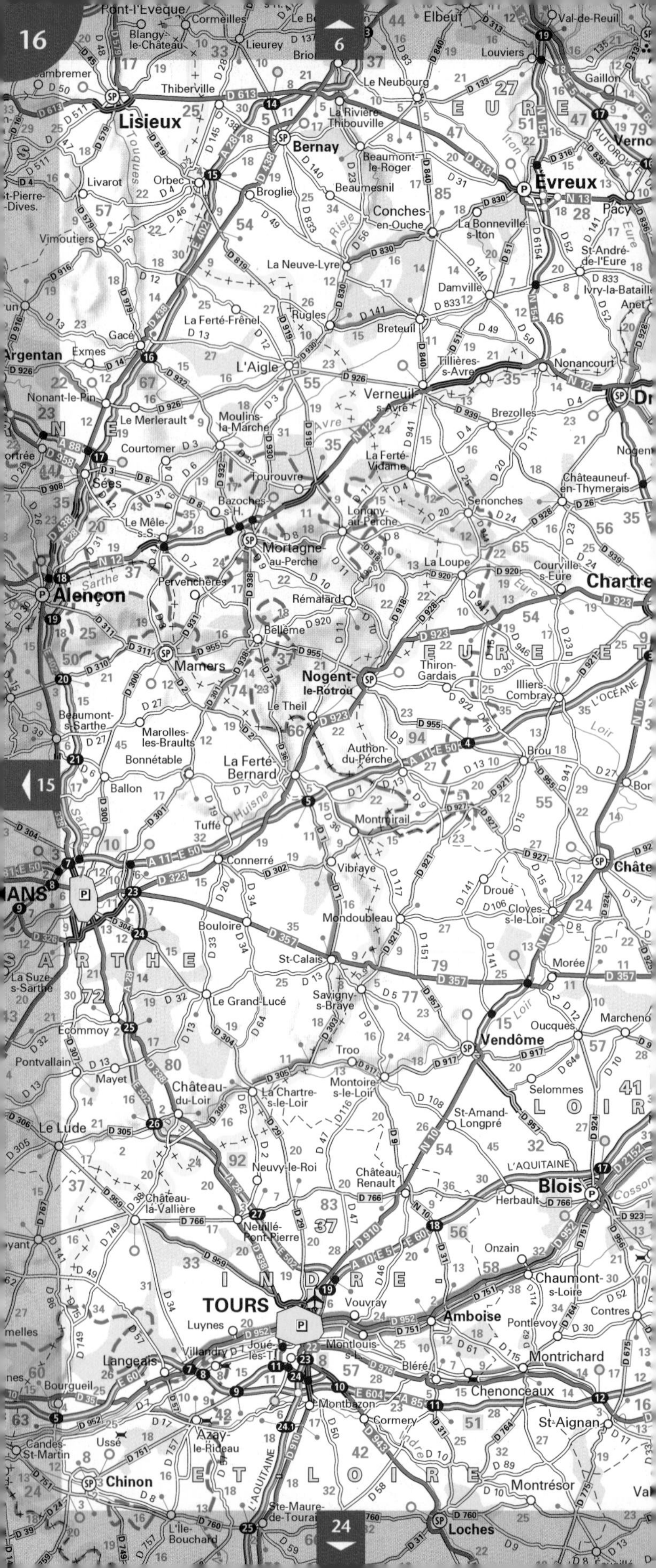

15

24

7
18
25
Gisors
Chaumont-en-Vexin
Méru
Creil
Crépy-en-Valois
Senlis
Chantilly
Chambly
Magny-en-Vexin
Marines
L'Isle-Adam
Beaumont-s-Oise
Ermenonville
Nanteuil-le-Haudouin
La Roche-Guyon
Pontoise
Luzarches
Survilliers
Bonnières-s-S.
Meulan
Sarcelles
Dammartin-en-Goële
Mantes-la-Jolie
Cergy
Roissy-en-France
Meaux
St-Denis
Aubergenville
Nanterre
Bobigny
Claye-Souilly
Lagny-s-M.
Coupvray
Pont-aux-Dames
St-Germain-en-Laye
PARIS
Torcy
Disneyland Resort Paris
Crécy-la-Chapelle
Jouars-Pontchartrain
Créteil
Coulommiers
Montfort-l'Amaury
VERSAILLES
Tournan-en-Brie
Chevreuse
Orsay
Orly
Palaiseau
Fontenay-Trésigny
Rambouillet
Limours
Montlhéry
Évry
Brie-Comte-Robert
Guignes
Épernon
St-Arnoult-en-Y.
Arpajon
Corbeil-Essonnes
Mormant
Maintenon
Vaux-le-Vicomte
Gallardon
Dourdan
Melun
Le Châtelet-en-Brie
Ablis
La Ferté-Alais
Auneau
Étampes
Milly-la-Forêt
Fleury-en-B.
Barbizon
Fontainebleau
Moret-s-Loing
Méréville
Ury
Ouarville
Angerville
Malesherbes
Voves
Été 2009
Nemours
Lorrez-le-Bocage-Préaux
Janville
Puiseaux
Toury
Pithiviers
Souppes-s-L.
Orgères-en-Beauce
Château-Landon
Dordives
Neuville-aux-Bois
Ferrières-en-Gâtinais
Artenay
Beaune-la-Rolande
Patay
Montargis
Bellegarde
Amilly
ORLÉANS
Jargeau
Châteauneuf-s-Loire
Lorris
Olivet
Cléry-St-André
St-Benoît-s-Loire
Ouzouer-s-Loire
Les Bézards
Châtillon-Coligny
Sully-s-Loire
La Ferté-St-Aubin
Gien
Briare
Lamotte-Beuvron
Châtillon-s-Loire
Neung-s-Beuvron
Argent-s-Sauldre
Nouan-le-Fuzelier
Aubigny-s-Nère
Souesmes
Vailly-s-Sauldre
Léré
Salbris
Romorantin-Lanthenay
La Chapelle-d'Angillon
St-Satur
Sancerre
Henrichemont
Neuvy-s-Barangeon
Villefranche-s-Cher
Chabris
Mennetou-s-Cher
Vierzon
St-Martin-d'Auxigny
Les Aix-d'Angillon
Graçay
Mehun-s-Yèvre
Sancergues
Lury-s-Arnon
BOURGES
Baugy
LOIRET
CHER
LOIR
L'AQUITAINE
Loire
Sauldre
Beuvron
Essonne
Oise
Epte
Loing

8
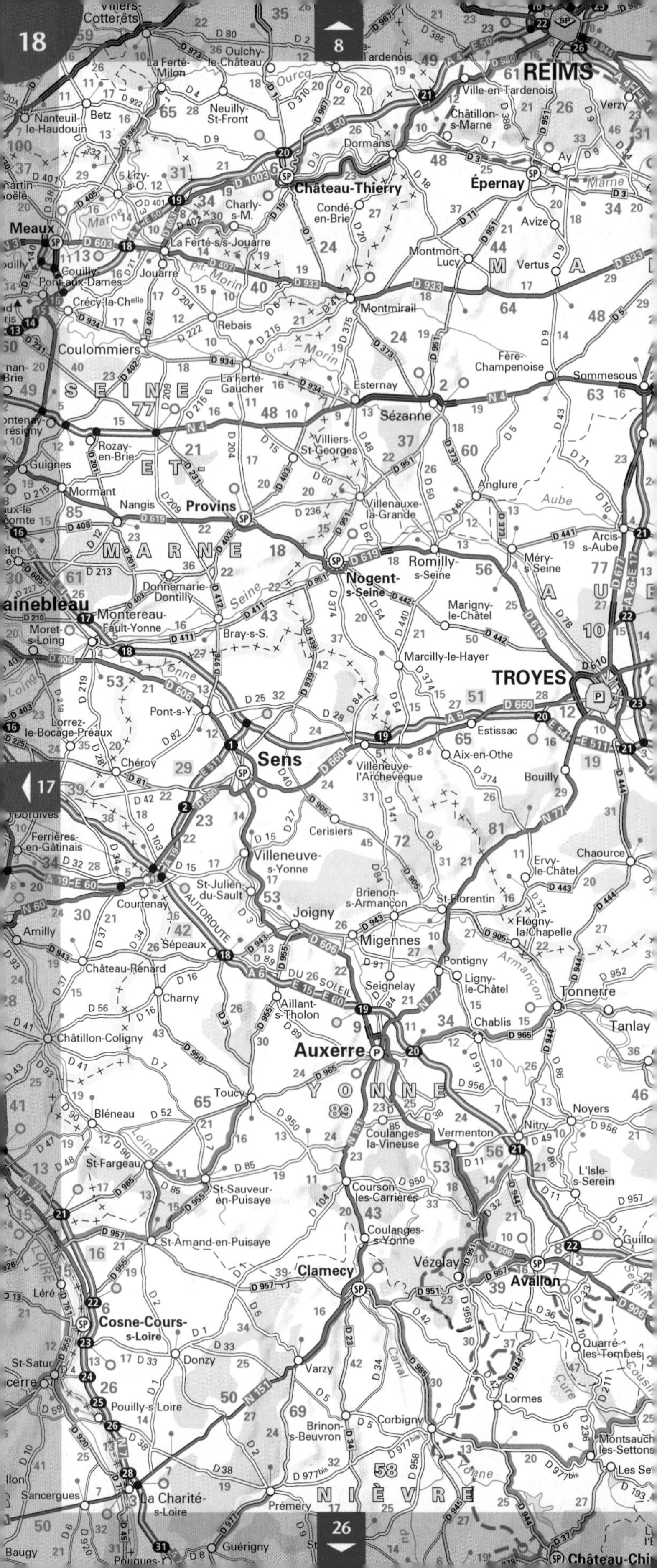

REIMS
Ville-en-Tardenois
Châtillon-s-Marne
Verzy
Dormans
Ay
Épernay
Château-Thierry
Condé-en-Brie
Avize
Vertus
Montmort-Lucy
Villers-Cotterêts
La Ferté-Milon
Oulchy-le-Château
Neuilly-St-Front
Nanteuil-le-Haudouin
Betz
Lizy-s-O.
Charly-s-M.
Meaux
La Ferté-s/s-Jouarre
Jouarre
Couilly-Pont-aux-Dames
Crécy-la-Chelle
Rebais
Montmirail
Coulommiers
La Ferté-Gaucher
Esternay
Sézanne
Fère-Champenoise
Sommesous
Rozay-en-Brie
Villiers-St-Georges
Guignes
Mormant
Nangis
Provins
Anglure
Villenauxe-la-Grande
Romilly-s-Seine
Nogent-s-Seine
Méry-s-Seine
Arcis-s-Aube
Donnemarie-Dontilly
Montereau-Fault-Yonne
Moret-s-Loing
Bray-s-S.
Marigny-le-Châtel
Marcilly-le-Hayer
TROYES
Pont-s-Y.
Lorrez-le-Bocage-Préaux
Chéroy
Sens
Villeneuve-l'Archevêque
Estissac
Aix-en-Othe
Bouilly
Cerisiers
Ferrières-en-Gâtinais
Villeneuve-s-Yonne
St-Julien-du-Sault
Courtenay
Chaource
Ervy-le-Châtel
Brienon-s-Armançon
St-Florentin
Flogny-la-Chapelle
Amilly
Joigny
Migennes
Sépeaux
Château-Renard
Charny
Aillant-s-Tholon
Seignelay
Pontigny
Ligny-le-Châtel
Tonnerre
Tanlay
Chablis
Châtillon-Coligny
Auxerre
Toucy
Bléneau
Coulanges-la-Vineuse
Vermenton
Nitry
Noyers
St-Fargeau
St-Sauveur-en-Puisaye
Courson-les-Carrières
L'Isle-s-Serein
St-Amand-en-Puisaye
Coulanges-s-Yonne
Vézelay
Avallon
Clamecy
Léré
Cosne-Cours-s-Loire
Donzy
Varzy
Quarré-les-Tombes
St-Satur
Pouilly-s-Loire
Lormes
Brinon-s-Beuvron
Corbigny
Montsauche-les-Settons
La Charité-s-Loire
Sancergues
Prémery
Guérigny
Baugy
Château-Chinon
SEINE-ET-MARNE 77
MARNE
AUBE 10
YONNE 89
NIÈVRE 58
AUTOROUTE DU SOLEIL

17
26

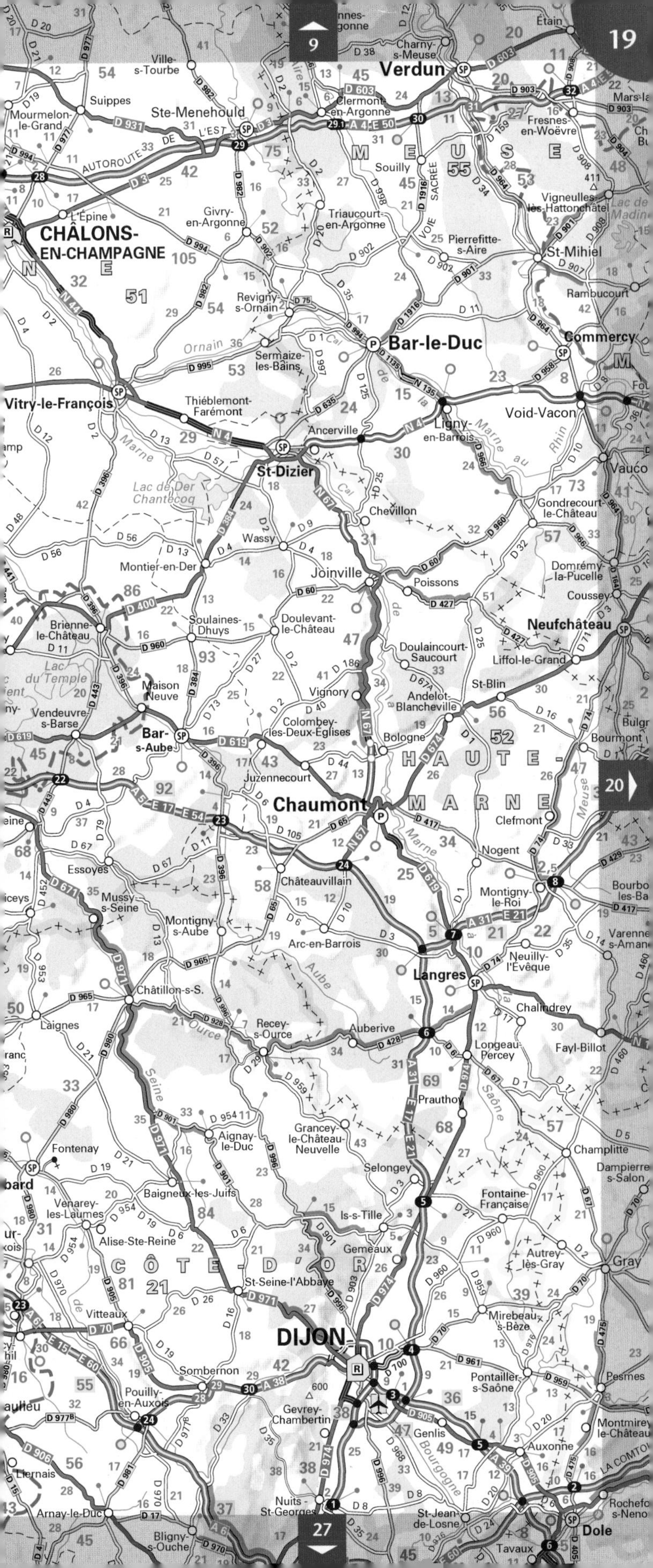
19
9
20
27
Verdun
Charny-s-Meuse
Étain
Ville-s-Tourbe
Suippes
Mourmelon-le-Grand
Ste-Menehould
Clermont-en-Argonne
Fresnes-en-Woëvre
Mars-la-Tour
AUTOROUTE DE L'EST
MEUSE
55
Souilly
VOIE SACRÉE
Vigneulles-lès-Hattonchâtel
Lac de Madine
L'Épine
CHÂLONS-EN-CHAMPAGNE
Givry-en-Argonne
Triaucourt-en-Argonne
Pierrefitte-s-Aire
St-Mihiel
MARNE
51
Revigny-s-Ornain
Rambucourt
Ornain
Sermaize-les-Bains
Bar-le-Duc
Commercy
Vitry-le-François
Thiéblemont-Farémont
Ligny-en-Barrois
Void-Vacon
Ancerville
St-Dizier
Marne au Rhin
Lac du Der Chantecoq
Chevillon
Gondrecourt-le-Château
Vaucouleurs
Wassy
Montier-en-Der
Joinville
Poissons
Domrémy-la-Pucelle
Coussey
Brienne-le-Château
Soulaines-Dhuys
Doulevant-le-Château
Neufchâteau
Lac du Temple
Maison Neuve
Doulaincourt-Saucourt
Liffol-le-Grand
Vendeuvre-s-Barse
Vignory
Andelot-Blancheville
St-Blin
Bar-s-Aube
Colombey-les-Deux-Églises
Bologne
HAUTE-MARNE
52
Bourmont
Juzennecourt
Chaumont
Clefmont
Essoyes
Châteauvillain
Nogent
Montigny-le-Roi
Bourbonne-les-Bains
Mussy-s-Seine
Montigny-s-Aube
Arc-en-Barrois
Varennes-s-Amance
Neuilly-l'Évêque
Langres
Châtillon-s-S.
Laignes
Recey-s-Ource
Auberive
Chalindrey
Fayl-Billot
Longeau-Percey
Prauthoy
Grancey-le-Château-Neuvelle
Aignay-le-Duc
Fontenay
Champlitte
Dampierre-s-Salon
Selongey
Baigneux-les-Juifs
Venarey-les-Laumes
Alise-Ste-Reine
Is-s-Tille
Fontaine-Française
Gemeaux
Autrey-lès-Gray
Gray
CÔTE-D'OR
21
St-Seine-l'Abbaye
Vitteaux
Mirebeau-s-Bèze
DIJON
Sombernon
Pontailler-s-Saône
Pesmes
Pouilly-en-Auxois
Gevrey-Chambertin
Genlis
Montmirey-le-Château
Auxonne
Liernais
Nuits-St-Georges
St-Jean-de-Losne
Rochefort-s-Nenon
Arnay-le-Duc
Bligny-s-Ouche
Tavaux
Dole
LA COMTOISE

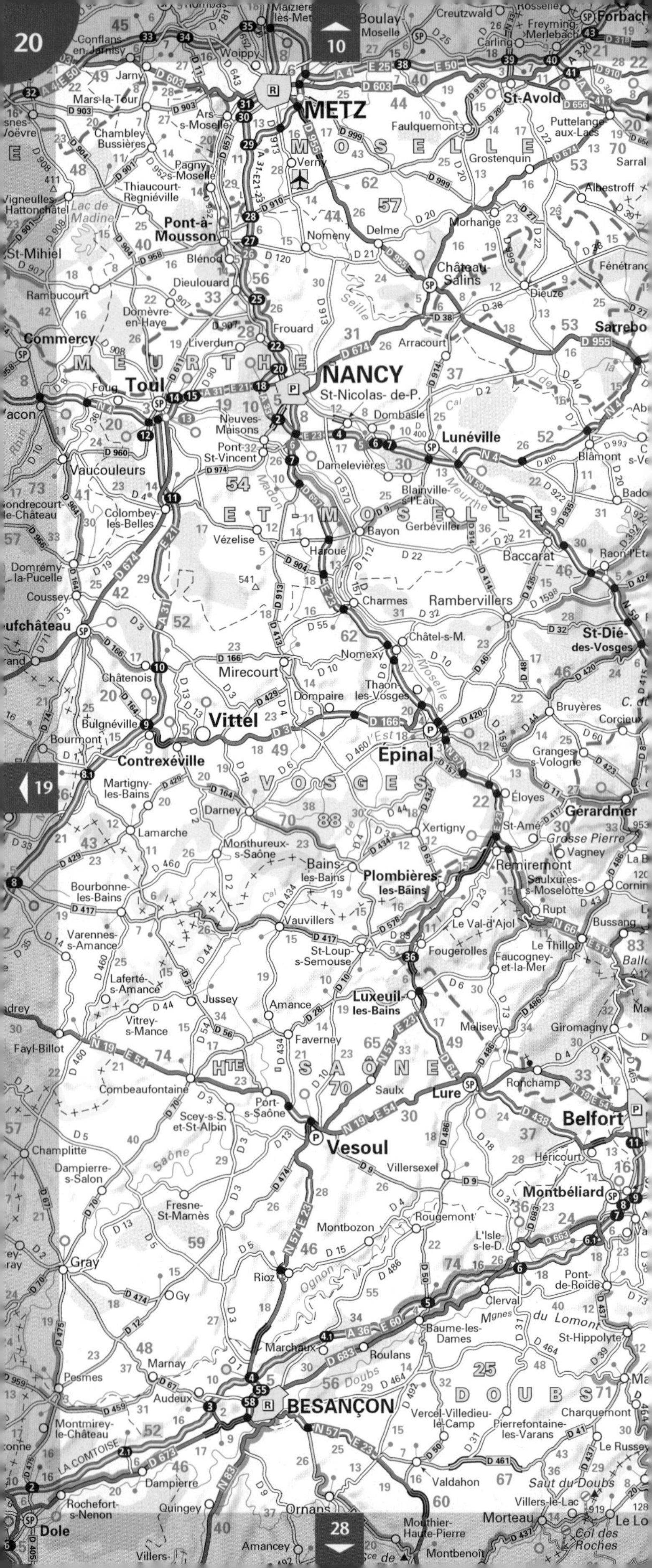
20
10
19
28
Conflans-en-Jarnisy
Maizières-lès-Metz
Woippy
Boulay-Moselle
Creutzwald
Freyming-Merlebach
Forbach
Carling
Jarny
Mars-la-Tour
Ars-s-Moselle
METZ
Faulquemont
St-Avold
Puttelange-aux-Lacs
Sarral
Chambley-Bussières
Pagny-s-Moselle
Verny
MOSELLE
Grostenquin
Albestroff
Vigneulles-Hattonchâtel
Thiaucourt-Regniéville
Lac de Madine
Pont-à-Mousson
Nomeny
Delme
Morhange
St-Mihiel
Blénod
Château-Salins
Fénétrang
Dieulouard
Dieuze
Rambucourt
Domèvre-en-Haye
Frouard
Sarrebo
Commercy
Liverdun
Arracourt
MEURTHE
Toul
Foug
NANCY
St-Nicolas-de-P.
Dombasle
Lunéville
Blâmont
Neuves-Maisons
Pont-St-Vincent
Damelevières
Vaucouleurs
Blainville-s-l'Eau
Gondrecourt-le-Château
Colombey-les-Belles
ET-MOSELLE
Vézelise
Haroué
Bayon
Gerbéviller
Baccarat
Raon-l'Etape
Domrémy-la-Pucelle
Coussey
Charmes
Rambervillers
Neufchâteau
St-Dié-des-Vosges
Châtel-s-M.
Nomexy
Mirecourt
Châtenois
Thaon-les-Vosges
Dompaire
Bulgnéville
Vittel
Bruyères
Corcieux
Bourmont
Contrexéville
Épinal
Granges-s-Vologne
Martigny-les-Bains
VOSGES
Darney
Éloyes
Gérardmer
Lamarche
Xertigny
St-Amé
Grosse Pierre
Vagney
Monthureux-s-Saône
Bains-les-Bains
Plombières-les-Bains
Remiremont
Bourbonne-les-Bains
Saulxures-s-Moselotte
Cornimont
Vauvillers
Rupt
Bussang
Varennes-s-Amance
Le Val-d'Ajol
Le Thillot
St-Loup-s-Semouse
Fougerolles
Faucogney-et-la-Mer
Laferté-s-Amance
Jussey
Luxeuil-les-Bains
Amance
Vitrey-s-Mance
Faverney
Melisey
Giromagny
Fayl-Billot
HTE SAÔNE
Combeaufontaine
Saulx
Lure
Ronchamp
Belfort
Port-s-Saône
Scey-s-S. et-St-Albin
Vesoul
Champlitte
Villersexel
Héricourt
Dampierre-s-Salon
Montbéliard
Fresne-St-Mamès
Montbozon
Rougemont
L'Isle-s-le-D.
Gray
Rioz
Ognon
Pont-de-Roide
Gy
Clerval
Mgnes du Lomont
Baume-les-Dames
St-Hippolyte
Marchaux
Roulans
Marnay
Pesmes
Audeux
BESANÇON
DOUBS
Charquemont
Montmirey-le-Château
Vercel-Villedieu-le-Camp
Pierrefontaine-les-Varans
Le Russey
LA COMTOISE
Dampierre
Valdahon
Saut du Doubs
Villers-le-Lac
Rochefort-s-Nenon
Quingey
Ornans
Mouthier-Haute-Pierre
Morteau
Col des Roches
Dole
Amancey
Montbenoît
Villers-

11

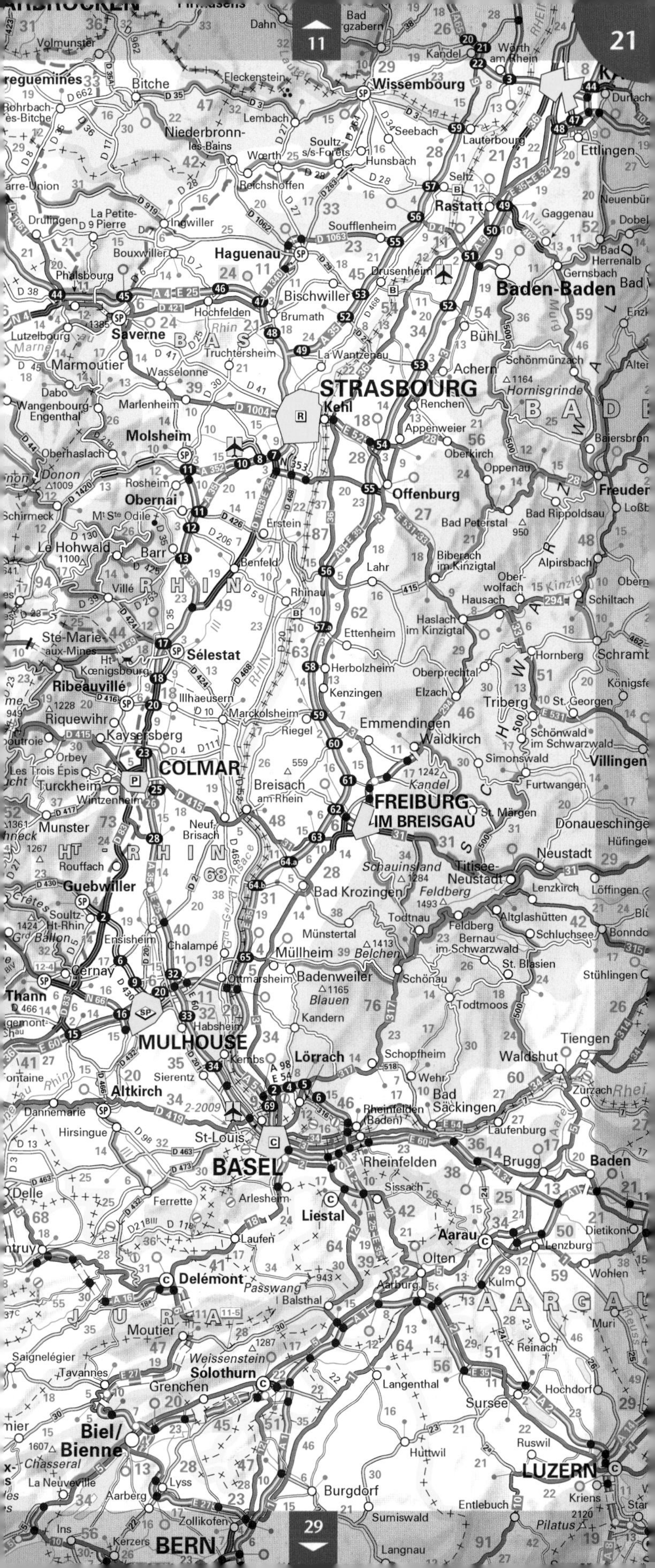

Wissembourg
Bitche
Niederbronn-les-Bains
Haguenau
Bischwiller
Brumath
Saverne
Phalsbourg
Marmoutier
Wasselonne
Molsheim
Obernai
Barr
Erstein
Benfeld
Sélestat
Ribeauvillé
Riquewihr
Kaysersberg
COLMAR
Turckheim
Munster
Neuf-Brisach
Guebwiller
Cernay
Thann
Ensisheim
MULHOUSE
Altkirch
St-Louis
BASEL
STRASBOURG
Kehl
Offenburg
Lahr
Rastatt
Baden-Baden
Bühl
Achern
Ettlingen
Gaggenau
Emmendingen
Waldkirch
FREIBURG IM BREISGAU
Breisach am Rhein
Bad Krozingen
Müllheim
Lörrach
Schopfheim
Titisee-Neustadt
Donaueschingen
Villingen
Triberg
Waldshut
Bad Säckingen
Rheinfelden
Liestal
Aarau
Olten
Delémont
Solothurn
Grenchen
Biel/Bienne
Burgdorf
BERN
LUZERN
Sursee
Langenthal
Brugg
Baden
Lenzburg
Moutier
Laufen
Kandern
Hornisgrinde
Feldberg
Schauinsland
Belchen
Pilatus

29

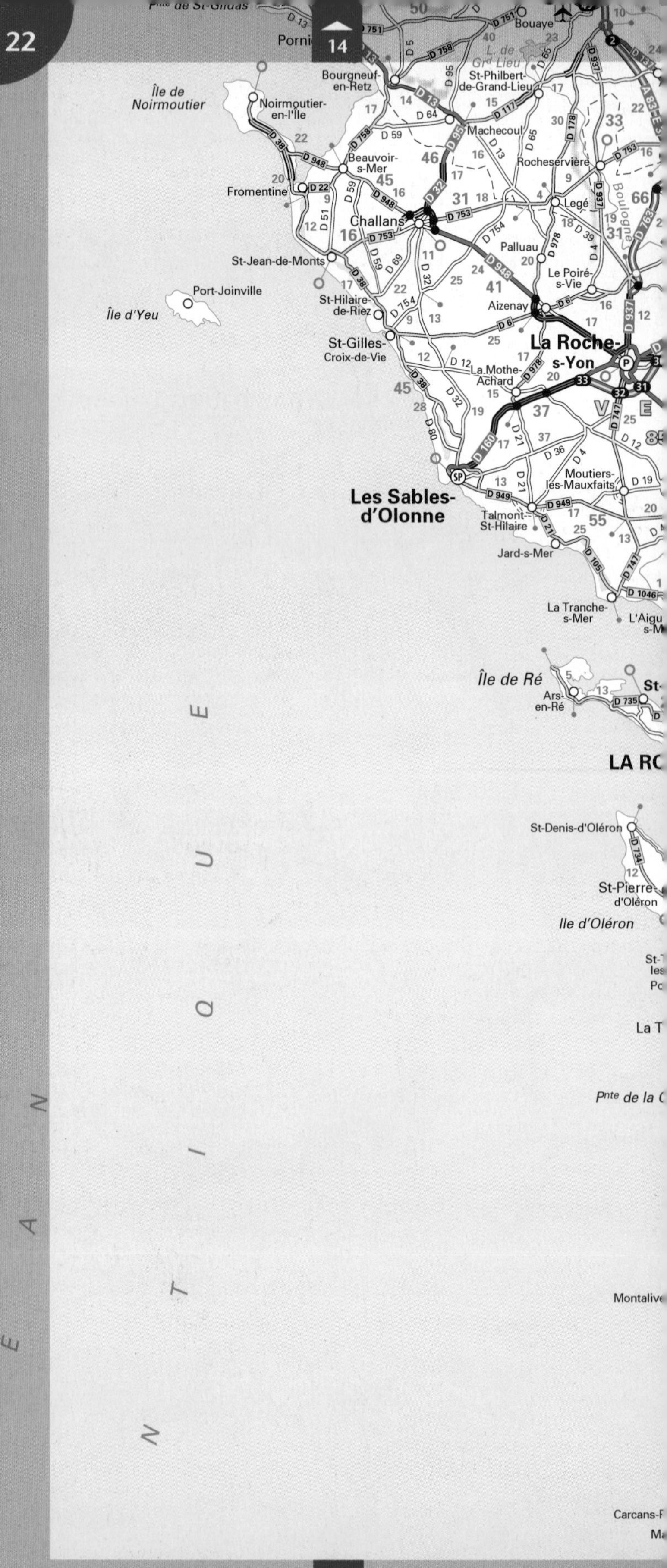
Île de Noirmoutier
Noirmoutier-en-l'Ile
Pornic
Bourgneuf-en-Retz
Bouaye
St-Philbert-de-Grand-Lieu
L. de Grd Lieu
Machecoul
Beauvoir-s-Mer
Fromentine
Challans
Rocheservière
Legé
St-Jean-de-Monts
Palluau
Port-Joinville
Île d'Yeu
Le Poiré-s-Vie
St-Hilaire-de-Riez
Aizenay
St-Gilles-Croix-de-Vie
La Roche-s-Yon
La Mothe-Achard
Moutiers-les-Mauxfaits
Les Sables-d'Olonne
Talmont-St-Hilaire
Jard-s-Mer
La Tranche-s-Mer
Île de Ré
Ars-en-Ré
St-Denis-d'Oléron
St-Pierre-d'Oléron
Ile d'Oléron
Montalive
Carcans-
Lacanau-Oc
O C É A N   A T L A N T I Q U E

14
30

15
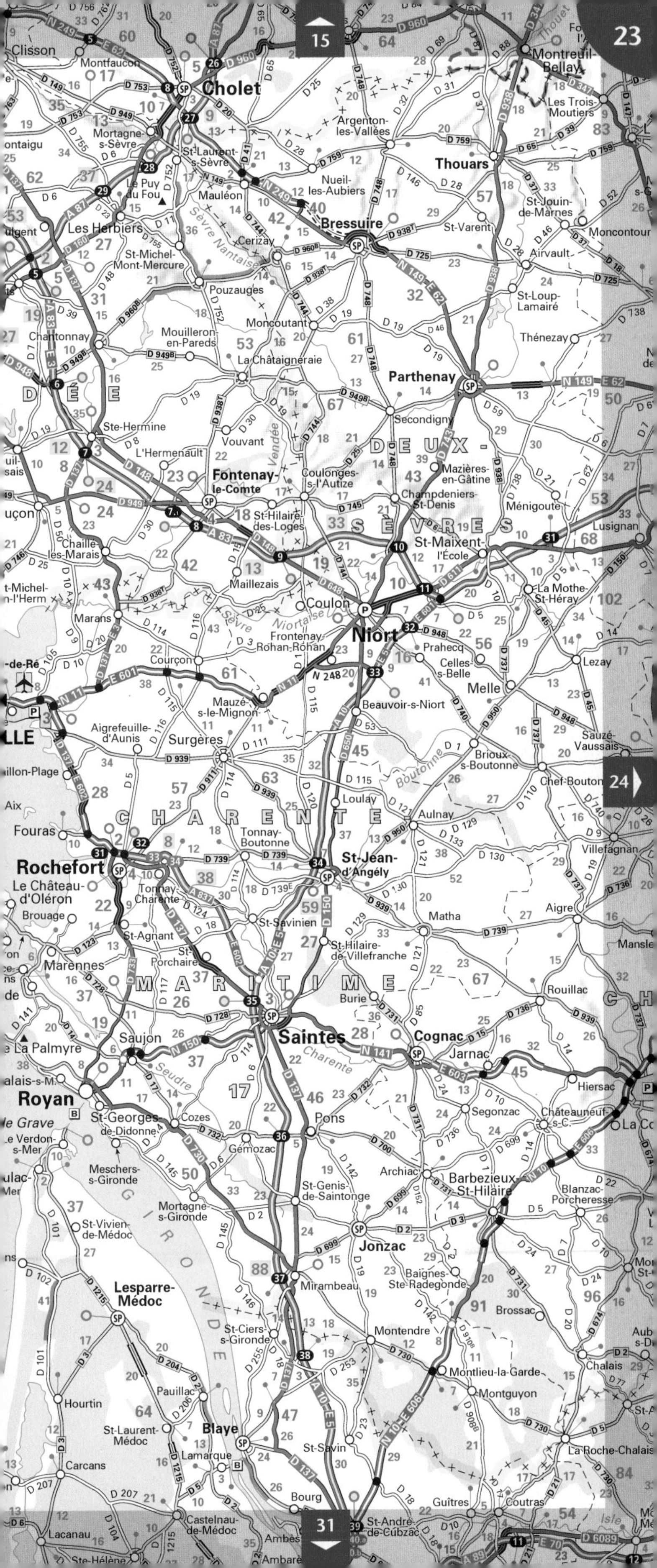
Clisson
Montfaucon
Cholet
Mortagne-s-Sèvre
St-Laurent-s-Sèvre
Le Puy du Fou
Mauléon
Argenton-les-Vallées
Nueil-les-Aubiers
Bressuire
Montreuil-Bellay
Les Trois-Moutiers
Thouars
St-Jouin-de-Marnes
Moncontour
St-Varent
Airvault
St-Loup-Lamairé
Thénezay
Les Herbiers
St-Michel-Mont-Mercure
Cerizay
Pouzauges
Moncoutant
Mouilleron-en-Pareds
La Châtaigneraie
Chantonnay
Parthenay
Secondigny
Ste-Hermine
L'Hermenault
Vouvant
Fontenay-le-Comte
Coulonges-s-l'Autize
Mazières-en-Gâtine
Champdeniers-St-Denis
Ménigoute
Lusignan
St-Hilaire-des-Loges
St-Maixent-l'École
Chaillé-les-Marais
Maillezais
Coulon
La Mothe-St-Héray
Marans
Niort
Frontenay-Rohan-Rohan
Prahecq
Celles-s-Belle
Melle
Lezay
Courçon
Mauzé-s-le-Mignon
Beauvoir-s-Niort
Aigrefeuille-d'Aunis
Surgères
Brioux-s-Boutonne
Sauzé-Vaussais
Chef-Boutonne
Fouras
Loulay
Aulnay
Villefagnan
Rochefort
Tonnay-Boutonne
St-Jean-d'Angély
Le Château-d'Oléron
Tonnay-Charente
Brouage
St-Agnant
St-Savinien
Matha
Aigre
Marennes
St-Porchaire
St-Hilaire-de-Villefranche
Burie
Rouillac
Saujon
Saintes
Cognac
Jarnac
La Palmyre
Royan
St-Georges-de-Didonne
Cozes
Pons
Segonzac
Hiersac
Châteauneuf-s-C.
Le Verdon-s-Mer
Meschers-s-Gironde
Gémozac
Archiac
Barbezieux-St-Hilaire
Blanzac-Porcheresse
St-Genis-de-Saintonge
Mortagne-s-Gironde
St-Vivien-de-Médoc
Jonzac
Lesparre-Médoc
Mirambeau
Baignes-Ste-Radegonde
Brossac
St-Ciers-s-Gironde
Montendre
Chalais
Montlieu-la-Garde
Montguyon
Hourtin
Pauillac
St-Laurent-Médoc
Blaye
Lamarque
St-Savin
La Roche-Chalais
Carcans
Bourg
Guîtres
Coutras
Castelnau-de-Médoc
St-André-de-Cubzac
Lacanau
Ste-Hélène
GIRONDE
DEUX-SÈVRES
CHARENTE
CHARENTE-MARITIME
Sèvre Nantaise
Sèvre Niortaise
Boutonne
Charente
Seudre
24
31

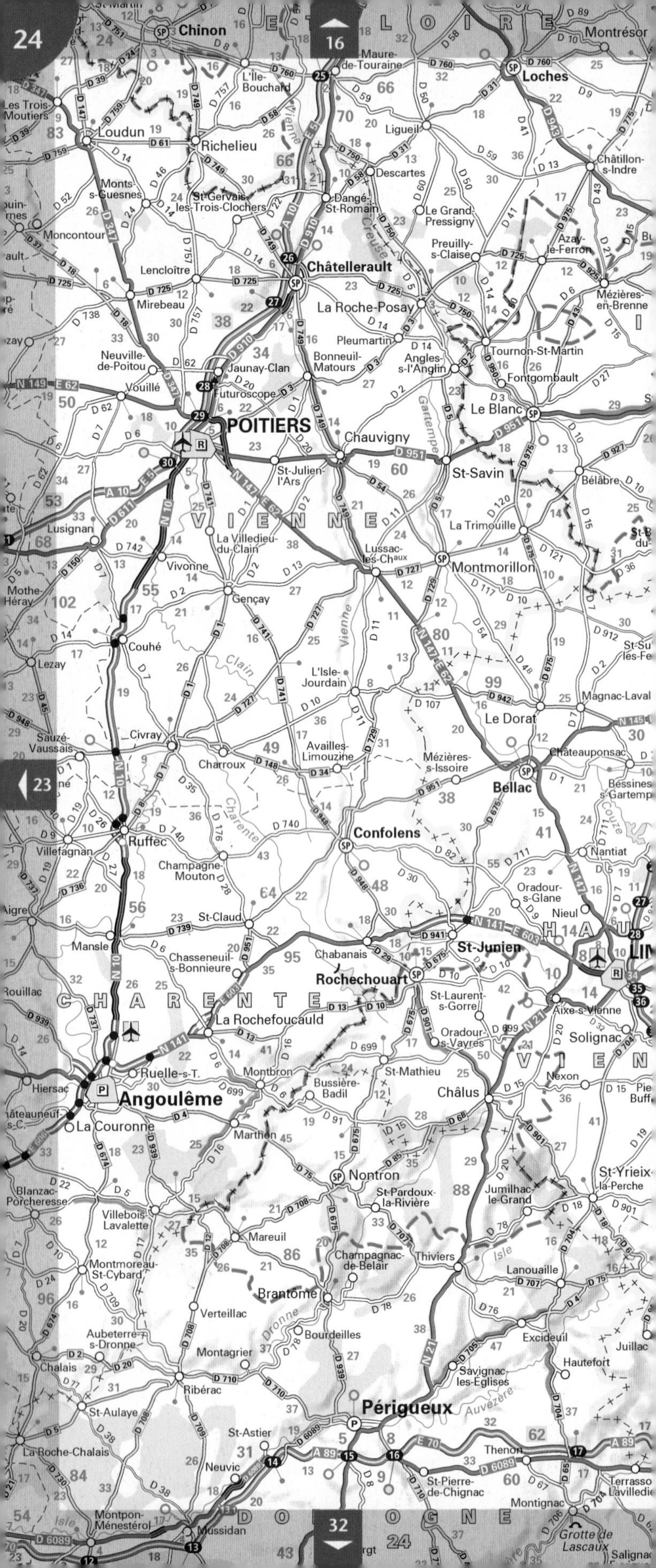
16
Chinon
Montrésor
Maure-de-Touraine
Loches
L'Ile-Bouchard
Les Trois-Moutiers
Loudun
Richelieu
Ligueil
Descartes
Châtillon-s-Indre
Monts-s-Guesnes
St-Gervais-les-Trois-Clochers
Dangé-St-Romain
Le Grand-Pressigny
Moncontour
Preuilly-s-Claise
Azay-le-Ferron
Lencloître
Châtellerault
Mirebeau
La Roche-Posay
Mézières-en-Brenne
Pleumartin
Tournon-St-Martin
Neuville-de-Poitou
Bonneuil-Matours
Angles-s-l'Anglin
Jaunay-Clan
Fontgombault
Vouillé
Futuroscope
Le Blanc
POITIERS
Chauvigny
St-Julien-l'Ars
St-Savin
Bélâbre
Lusignan
VIENNE
La Trimouille
La Villedieu-du-Clain
Lussac-les-Châteaux
Montmorillon
Vivonne
Mothe-Héray
Gençay
Couhé
Lezay
L'Isle-Jourdain
Magnac-Laval
Le Dorat
Sauzé-Vaussais
Civray
Availles-Limouzine
Mézières-s-Issoire
Châteauponsac
Charroux
Bellac
Bessines-s-Gartempe
23
Villefagnan
Ruffec
Confolens
Nantiat
Champagne-Mouton
Oradour-s-Glane
Nieul
Aigre
Mansle
St-Claud
Chabanais
St-Junien
Chasseneuil-s-Bonnieure
Rochechouart
St-Laurent-s-Gorre
CHARENTE
Aixe-s-Vienne
La Rochefoucauld
Oradour-s-Vayres
Solignac
Ruelle-s-T.
Montbron
St-Mathieu
Nexon
Hiersac
Angoulême
Bussière-Badil
Châlus
La Couronne
Marthon
Nontron
St-Yrieix-la-Perche
Blanzac-Porcheresse
St-Pardoux-la-Rivière
Jumilhac-le-Grand
Villebois-Lavalette
Mareuil
Champagnac-de-Belair
Thiviers
Montmoreau-St-Cybard
Lanouaille
Brantôme
Verteillac
Aubeterre-s-Dronne
Bourdeilles
Excideuil
Montagrier
Juillac
Chalais
Savignac-les-Eglises
Hautefort
Ribérac
St-Aulaye
Périgueux
St-Astier
La Roche-Chalais
Neuvic
Thenon
St-Pierre-de-Chignac
Terrasson-Lavilledieu
Montignac
Montpon-Ménestérol
Mussidan
32
Grotte de Lascaux
Salignac

17
Valençay
Graçay
Mehun-s-Yèvre
BOURGES
Lury-s-Arnon
Vatan
Reuilly
Levroux
Issoudun
Charost
St-Florent-s-Cher
Avord
Levet
Dun-s-Auron
Châteauneuf-s-Cher
Châteauroux
Meillant
Ardentes
Lignières
St-Amand-Montrond
Charenton-du-Cher
Le Châtelet
La Châtre
Argenton-s-Creuse
Neuvy-St-Sépulchre
Châteaumeillant
Culan
Vallon-en-Sully
Gargilesse-Dampierre
Ste-Sévère-s-Indre
Eguzon
Aigurande
Crozant
Huriel
Montluçon
Bonnat
Dun-le-Palestel
Châtelus-Malvaleix
Boussac
Néris-les-Bains
La Souterraine
St-Vaury
Chambon-s-Voueize
Marcillat-en-Combraille
Le Grand-Bourg
Guéret
Jarnages
Gouzon
Évaux-les-Bains
Bénévent-l'Abbaye
Chénérailles
26
Laurière
Ahun
CREUSE
Auzances
St-Gervais-d'Auvergne
Pontarion
Bellegarde-en-Marche
Bourganeuf
Aubusson
Pontaumur
St-Léonard-de-Noblat
Felletin
Royère-de-Vassivière
Crocq
Peyrat-le-Château
Giat
Lac de Vassivière
Gentioux-Pigerolles
Herment
Eymoutiers
Châteauneuf-la-Forêt
La Courtine
Bourg-Lastic
Eygurande
Rochefort-Montagne
St-Germain-les-Belles
Bugeat
La Bourboule
Treignac
Ussel
Meymac
Tauves
La Tour-d'Auvergne
Suc-au-May
Uzerche
Égletons
Champs-s-T.-Marchal
Vigeois
Seilhac
Corrèze
Neuvic
Bort-les-Orgues
CORRÈZE
Lapleau
Tulle
Riom-ès-Montagnes
Donzenac
Bge de l'Aigle
Mauriac
La Roche-Canillac
Brive-la-Gaillarde
Beynat
St-Privat
Pleaux
Pas de Peyrol
Salers
Argentat
Puy Mary
Collonges-la-Rouge
St-Cernin
Puy Griou
33
CANTAL

18
NIÈVRE
58
Sancergues
La Charité-s-Loire
Baugy
Guérigny
St-Saulge
Pougues-les-Eaux
Châtillon-en-Bazois
Fourchambault
Moulins-Engilbert
Avord
Nérondes
Nevers
St-Benin-d'Azy
La Guerche-s-l'Aubois
Imphy
La Machine
St-Honoré-les-Bains
Decize
Fours
Sancoins
St-Pierre-le-Moûtier
Luzy
Charenton-du-Cher
Lurcy-Lévis
Dornes
Issy-l'Évêque
Bourbon-Lancy
Chevagnes
Bourbon-l'Archambault
Cérilly
Moulins
Yzeure
Souvigny
Hérisson
Dompierre-s-Besbre
Neuilly-le-Réal
Cosne-d'Allier
Le Montet
Jaligny-s-Besbre
Le Donjon
Varennes-s-Allier
Montmarault
St-Pourçain-s-Sioule
Commentry
Lapalisse
Chantelle
St-Germain-des-Fossés
La Pacaudière
Montaigut
St-Éloy-les-Mines
Vichy
Cusset
Châtel-Montagne
Ambierle
Ébreuil
Gannat
Pionsat
Bellerive-s-Allier
Menat
Le Mayet-de-Montagne
St-Haon-le-Châtel
St-Gervais-d'Auvergne
St-Yorre
Châteauneuf-les-Bains
Randan
Aigueperse
Combronde
Châteldon
Manzat
Puy-Guillaume
Châtelguyon
Tournoël
Volvic
Ennezat
Maringues
St-Rémy-s-Durolle
St-Just-en-Chevalet
Pontaumur
Riom
Thiers
Pontgibaud
Lezoux
Pont-de-Dore
Noirétable
Puy de Dôme
1465
Royat
CLERMONT-FERRAND
Courpière
Ceyrat
Cournon-d'Auvergne
Billom
Rochefort-Montagne
St-Amant-Tallende
St-Dier-d'Auvergne
Olliergues
St-Georges-en-Couzan
Orcival
Randanne
Veyre-Monton
Vic-le-Comte
Cunlhat
Monts du Forez
1634
le Mont-Dore
Chambon-s-Lac
St-Nectaire
Murol
Champeix
Issoire
Sauxillanges
St-Amant-Roche-Savine
Ambert
La Tour-d'Auvergne
1885
Puy de Sancy
Super-Besse
Besse-et-St-Anastaise
St-Germain-Lembron
St-Germain-l'Herm
Viverols
PUY DE DÔME
Jumeaux
Brassac-les-Mines
Ardes
Arlanc
Lempdes-s-Allagnon
Auzon
Condat
1551
Blesle
Brioude
La Chaise-Dieu
Craponne
Riom-ès-Montagnes
Massiac
Paulhaguet
Allanche
Allègre
Vorey
Pas de Peyrol
1582
Lavoûte-Chilhac
St-Paulien
Le Lioran
Murat
1855
Plomb du Cantal
Langeac
Loudes
Pinols
St-Flour
Le Puy-en-Velay
34
25

19
Les Settons
Liernais
Arnay-le-Duc
Bligny-s-Ouche
Nuits-St-Georges
St-Jean-de-Losne
Tavaux
Lucenay-l'Évêque
Chinon
Beaune
Seurre
Chemin
Épinac
La Rochepot
Meursault
Chaussin
St-Léger-s-Beuvray
Autun
Nolay
Chagny
Verdun-s-le-D.
Pierre-de-Bresse
Étang-s-Arroux
Mesvres
Couches
Chalon-s-Saône
Le Creusot
St-Martin-en-Bresse
St-Germain-du-Bois
Bletterans
Montcenis
Givry
Montchanin
St-Germain-du-Plain
Buxy
Beaurepaire-en-Bresse
Toulon-s-Arroux
Montret
Montceau-les-Mines
Blanzy
Mont-St-Vincent
Sennecey-le-Grand
Louhans
St-Gengoux-le-National
Gueugnon
Cormatin
Brancion
Tournus
Cuisery
Palinges
Montpont-en-Bresse
Cuis
St-Bonnet-de-Joux
St-Trivier-de-Courtes
St-Amo
Paray-le-Monial
Charolles
Cluny
Pont-de-Vaux
Coligny
AUTOROUTE DU SOLEIL
Montrevel-en-Bresse
Bâgé-le-Châtel
Treffort
Cuisiat
Anzy-le-Duc
Matour
Mâcon
La Clayette
Semur-en-Brionnais
Pont-de-Veyle
La Chapelle-de-Guinchay
Vonnas
Bourg-en-Bresse
Brou
Ceyzériat
Monsols
Chauffailles
Thoissey
Charlieu
Belmont-de-la-Loire
Les Écharmeaux
Beaujeu
Châtillon-s-Chalaronne
Belleville
Cours
St-Trivier-s-M.
Pont-d'Ain
Roanne
Thizy
Lamure-s-Azergues
Villars-les-Dombes
Chalamont
Perreux
Villefranche-s-Saône
Trévoux
Amplepuis
Anse
Pérouges
St-Symphorien-de-Lay
Tarare
Mionnay
Montluel
Meximieux
Neuville-s-S.
Miribel
Limonest
Montalieu-Vercieu
Néronde
L'Arbresle
Balbigny
Charbonnières-les-Bains
Meyzieu
P.-de-Chéruy
St-Laurent-de-Chamousset
LYON
Tassin-la-Demi-Lune
Crémieu
Feurs
C. de la Luère
Ste-Foy-l'Argentière
St-Genis-Laval
Satolas-et-Bonce
Chazelles-s-Lyon
Feyzin
La Verpillière
Montrond-les-Bains
St-Symphorien-s-Coise
Mornant
St-Symphorien-d'Ozon
Heyrieux
L'Isle-d'Abeau
St-Galmier
Givors
Bourgoin-Jallieu
Andrézieux-Bouthéon
Vienne
ST-ÉTIENNE
Rive-de-Gier
St-Jean-de-Bournay
St-Just-St-Rambert
La Grand-Croix
Condrieu
St-Chamond
La Côte-St-André
Firminy
Terrenoire
Pélussin
Mt Pilat
Le Péage-de-Roussillon
Aurec-s-Loire
Le Chambon-Feugerolles
Col du Grd Bois ou de la République
Beaurepaire
St-Étienne-de-St-Geoirs
St-Genest-Malifaux
Serrières
Chanas
Le Grand-Serre
St-Didier-en-Velay
Bourg-Argental
St-Rambert-d'Albon
Roybon
Annonay
Retournac
Montfaucon-en-Velay
St-Vallier
St-Marcellin
St-Donat-s-l'Herbasse
Satillieu
Tence
Lalouvesc
Tain-l'Hermitage
Le Chambon-s-Lignon
St-Félicien
Romans-s-Isère
Tournon-s-Rhône
St-Agrève
St-Jean-en-Royans
Bourg-de-Péage
St-Julien-Chapteuil
Fay-s-
35
28

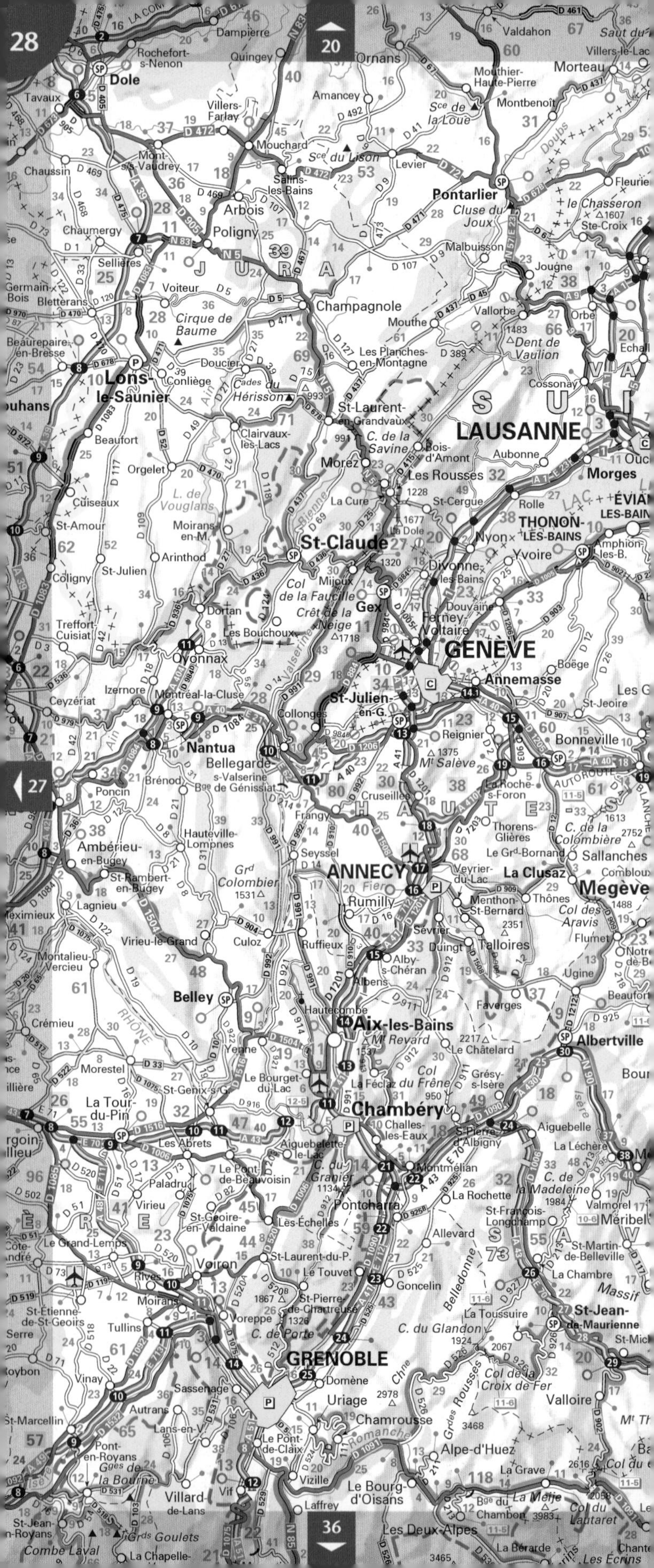
20
Dole
Tavaux
Rochefort-s-Nenon
Dampierre
Quingey
Ornans
Valdahon
Sault du
Villers-le-Lac
Morteau
Mouthier-Haute-Pierre
Montbenoît
Amancey
Sce de la Loue
Villers-Farlay
Mouchard
Sce du Lison
Levier
Mont-s/s-Vaudrey
Chaussin
Salins-les-Bains
Pontarlier
Cluse du Joux
Fleurier
le Chasseron
Ste-Croix
Arbois
Poligny
Chaumergy
Sellières
JURA
Malbuisson
Jougne
Germain-Bois
Bletterans
Voiteur
Champagnole
Vallorbe
Orbe
Cirque de Baume
Mouthe
Dent de Vaulion
Beaurepaire-en-Bresse
Les Planches-en-Montagne
Lons-le-Saunier
Conliège
Doucier
Cades du Hérisson
Cossonay
Louhans
St-Laurent-en-Grandvaux
LAUSANNE
Beaufort
Clairvaux-les-Lacs
C. de la Savine
Bois-d'Amont
Aubonne
Morez
Orgelet
Les Rousses
Morges
L. de Vouglans
La Cure
St-Cergue
Rolle
ÉVIAN-LES-BAINS
Cuiseaux
La Dole
St-Amour
Moirans-en-M.
THONON-LES-BAINS
Nyon
Yvoire
St-Claude
Amphion-les-B.
Arinthod
Coligny
St-Julien
Mijoux
Divonne-les-Bains
Col de la Faucille
Gex
Crêt de la Neige
Douvaine
Ferney-Voltaire
Dortan
Treffort-Cuisiat
Les Bouchoux
GENÈVE
Boëge
Oyonnax
Annemasse
Izernore
Montréal-la-Cluse
St-Julien-en-G.
St-Jeoire
Ceyzériat
Collonges
Nantua
Reignier
Mt Salève
Bonneville
Bellegarde-s-Valserine
Bge de Génissiat
Brénod
Poncin
La Roche-s-Foron
Frangy
Cruseilles
Thorens-Glières
C. de la Colombière
Ambérieu-en-Bugey
Hauteville-Lompnes
Seyssel
ANNECY
Le Grd-Bornand
Sallanches
Combloux
St-Rambert-en-Bugey
Grd Colombier
Veyrier-du-Lac
La Clusaz
Megève
Lagnieu
Rumilly
Menthon-St-Bernard
Thônes
Col des Aravis
Meximieux
Virieu-le-Grand
Culoz
Ruffieux
Sévrier
Talloires
Duingt
Flumet
Montalieu-Vercieu
Alby-s-Chéran
Albens
Ugine
Belley
Faverges
Beaufort
Hautecombe
Aix-les-Bains
Crémieu
Mt Revard
Le Châtelard
Albertville
RHÔNE
Yenne
Morestel
Le Bourget-du-Lac
Col du Frêne
Grésy-s-Isère
La Féclaz
St-Genix-s-G.
La Tour-du-Pin
Chambéry
Challes-les-Eaux
St-Pierre-d'Albigny
Aiguebelle
Bourgoin-Jallieu
Les Abrets
Aiguebelette-le-Lac
La Léchère
C. du Granier
Montmélian
Le Pont-de-Beauvoisin
C. de la Madeleine
Paladru
La Rochette
Virieu
Pontcharra
St-Geoire-en-Valdaine
Les Échelles
Valmorel
St-François-Longchamp
Méribel
Allevard
St-Martin-de-Belleville
Le Grand-Lemps
Voiron
St-Laurent-du-P.
Le Touvet
Goncelin
La Chambre
Rives
Massif
Belledonne
Moirans
St-Étienne-de-St-Geoirs
Voreppe
St-Pierre-de-Chartreuse
La Toussuire
St-Jean-de-Maurienne
Tullins
C. de Porte
C. du Glandon
Serre
GRENOBLE
St-Michel
Roybon
Domène
Vinay
Sassenage
Uriage
Col de la Croix de Fer
Valloire
Autrans
Chamrousse
St-Marcellin
Lans-en-V.
Grdes Rousses
Pont-en-Royans
Le Pont-de-Claix
Romanche
Alpe-d'Huez
Ggs de la Bourne
Vizille
La Grave
Col du
Villard-de-Lans
Vif
Le Bourg-d'Oisans
La Meije
Col du Lautaret
Bge du Chambon
St-Jean-en-Royans
Laffrey
Grds Goulets
Les Deux-Alpes
Combe Laval
La Chapelle-
La Bérarde
Les Écrins
36
27

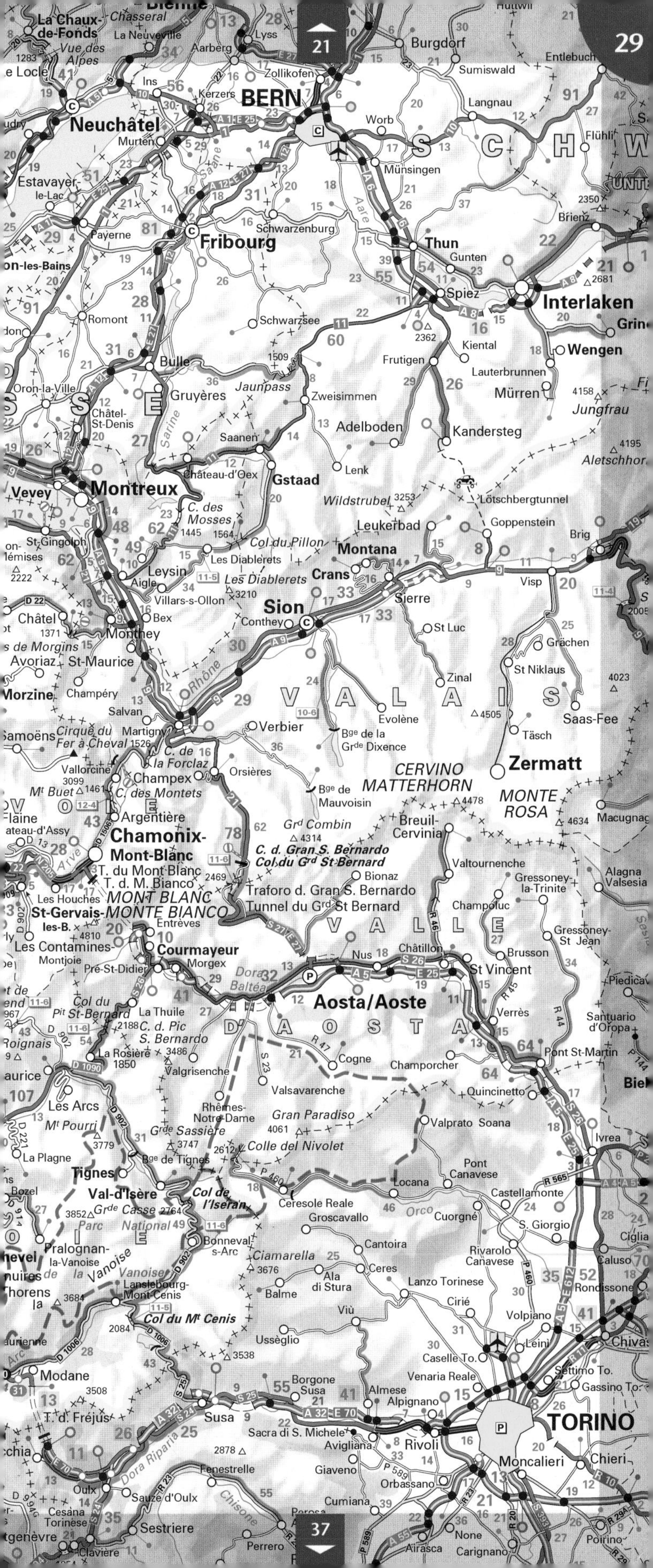

29
21
37
La Chaux-de-Fonds
Chasseral
La Neuveville
Vue des Alpes
Le Locle
Lyss
Aarberg
Burgdorf
Sumiswald
Entlebuch
Ins
Kerzers
Zollikofen
BERN
Neuchâtel
Murten
Worb
Langnau
Flühli
Münsingen
Estavayer-le-Lac
Payerne
Fribourg
Schwarzenburg
Aare
Thun
Gunten
Brienz
Interlaken
Spiez
Romont
Schwarzsee
Frutigen
Kiental
Wengen
Lauterbrunnen
Mürren
Jungfrau
Bulle
Gruyères
Jaunpass
Zweisimmen
Adelboden
Kandersteg
Oron-la-Ville
Châtel-St-Denis
Saanen
Sarine
Lenk
Aletschhorn
Château-d'Oex
Gstaad
Vevey
Montreux
Wildstrubel
Lötschbergtunnel
C. des Mosses
Leukerbad
Goppenstein
St-Gingolph
Col du Pillon
Montana
Brig
Leysin
Les Diablerets
Crans
Aigle
Visp
Villars-s-Ollon
Sion
Sierre
Châtel
Bex
Conthey
St Luc
Grächen
Monthey
Avoriaz
St-Maurice
Rhône
Zinal
St Niklaus
Morzine
Champéry
Salvan
V A L A I S
Evolène
Saas-Fee
Samoëns
Cirque du Fer à Cheval
Martigny
Verbier
Bge de la Grde Dixence
Täsch
C. de la Forclaz
Zermatt
Vallorcine
Champex
Orsières
CERVINO
MATTERHORN
Mt Buet
C. des Montets
Bge de Mauvoisin
MONTE ROSA
Flaine
Argentière
Breuil-Cervinia
Macugnaga
Chamonix-Mont-Blanc
Grd Combin
C. d. Gran S. Bernardo
Col du Grd St Bernard
Valtournenche
T. du Mont Blanc
T. d. M. Bianco
Gressoney-la-Trinite
Alagna Valsesia
Les Houches
MONT BLANC
Bionaz
St-Gervais-les-B.
MONTE BIANCO
Traforo d. Gran S. Bernardo
Tunnel du Grd St Bernard
Champoluc
Entrèves
V A L L E
Gressoney-St Jean
Les Contamines-Montjoie
Courmayeur
Nus
Châtillon
Brusson
Morgex
St Vincent
Pré-St-Didier
Dora Baltea
Aosta/Aoste
Col du Pit St-Bernard
La Thuile
Verrès
C. d. Pic S. Bernardo
D' A O S T A
Santuario d'Oropa
La Rosière
Cogne
Pont St-Martin
Valgrisenche
Champorcher
Les Arcs
Valsavarenche
Quincinetto
Mt Pourri
Rhêmes-Notre-Dame
Gran Paradiso
Valprato Soana
Grde Sassière
Colle del Nivolet
Ivrea
La Plagne
Bge de Tignes
Tignes
Pont Canavese
Val-d'Isère
Col de l'Iseran
Ceresole Reale
Locana
Castellamonte
Grde Casse
Parc National
Orco
Groscavallo
Cuorgnè
S. Giorgio
Bonneval-s-Arc
Pralognan-la-Vanoise
Cantoira
Cigliano
Caluso
Ciamarella
Rivarolo Canavese
Vanoise
Ceres
Ala di Stura
Lanslebourg-Mont-Cenis
Lanzo Torinese
Rondissone
Balme
Col du Mt Cenis
Cirié
Viù
Volpiano
Usseglio
Leini
Chivasso
Caselle To.
Modane
Venaria Reale
Settimo To.
Gassino To.
Borgone Susa
Almese
Alpignano
T. d. Fréjus
Susa
Sacra di S. Michele
Rivoli
TORINO
Avigliana
Fenestrelle
Giaveno
Moncalieri
Chieri
Dora Riparia
Orbassano
Oulx
Sauze d'Oulx
Chisone
Cumiana
Cesana Torinese
Sestriere
Perrero
None
Claviere
Airasca
Carignano
Poirino

22

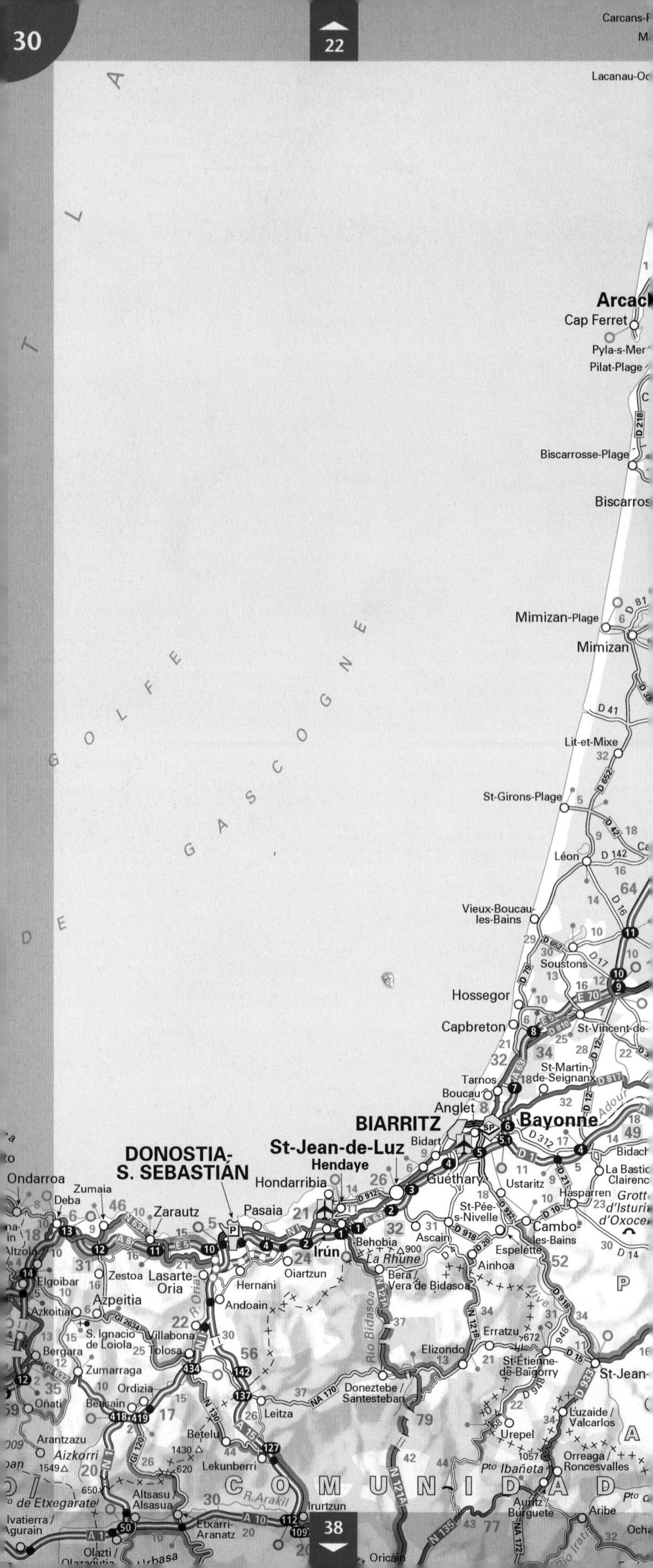

G O L F E D E G A S C O G N E
A T L A
Carcans-
Lacanau-Oc
Arcac
Cap Ferret
Pyla-s-Mer
Pilat-Plage
D 218
Biscarrosse-Plage
Biscarros
Mimizan-Plage
Mimizan
D 41
Lit-et-Mixe
D 652
St-Girons-Plage
D 42
Léon
D 142
64
Vieux-Boucau-les-Bains
Soustons
D 17
E 70
Hossegor
Capbreton
D 810
St-Vincent-de-
St-Martin-de-Seignanx
D 817
Tarnos
Boucau
Anglet
Adour
BIARRITZ
Bayonne
D 312
St-Jean-de-Luz
Bidart
Hendaye
Guéthary
Ustaritz
La Bastide-Clairence
Hasparren
Grotte d'Isturits d'Oxocelhaya
Cambo-les-Bains
D 918
St-Pée-s-Nivelle
Ascain
Espelette
Ainhoa
La Rhune
Behobia
Irún
Hondarribia
Pasaia
D 912
A 63
DONOSTIA-S. SEBASTIÁN
Zarautz
Zumaia
Deba
Ondarroa
Altzola
Elgoibar
Azkoitia
Azpeitia
Zestoa
S. Ignacio de Loiola
Lasarte-Oria
Hernani
Oiartzun
Andoain
Villabona
Tolosa
Bergara
Zumarraga
Ordizia
Beasain
Oñati
Arantzazu
Aizkorri
Altsasu / Alsasua
Etxarri-Aranatz
Lekunberri
Betelu
Leitza
Doneztebe / Santesteban
Elizondo
Bera / Vera de Bidasoa
Río Bidasoa
Erratzu
St-Étienne-de-Baïgorry
St-Jean-
Urepel
Luzaide / Valcarlos
Orreaga / Roncesvalles
Pto Ibañeta
Auritz / Burguete
Aribe
Irurtzun
R. Arakil
Pto de Etxegarate
Olazti / Olazagutia
Urbasa
Oricáin
C O M U N I D A D

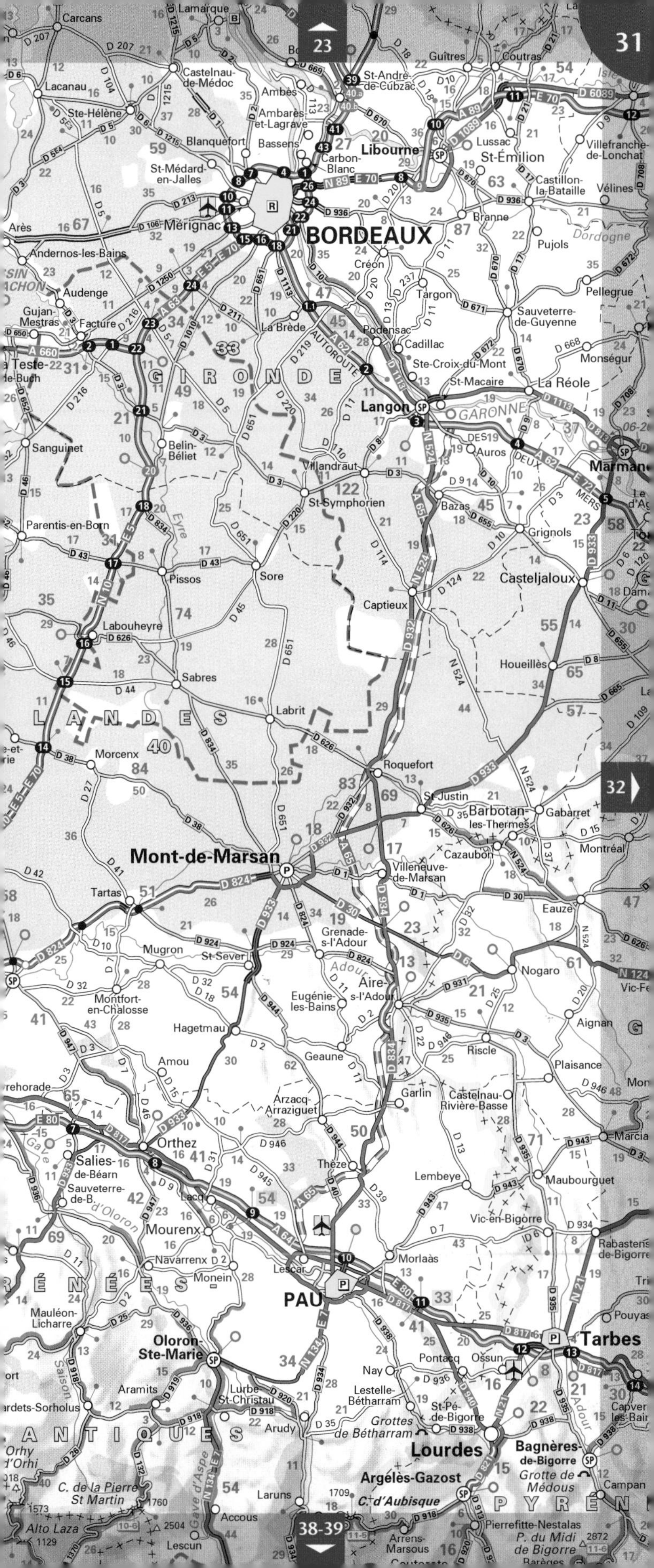

23
BORDEAUX
Libourne
St-Émilion
Mérignac
Carcans
Lacanau
Castelnau-de-Médoc
Blanquefort
Ambarès-et-Lagrave
Bassens
Carbon-Blanc
St-André-de-Cubzac
Guîtres
Coutras
Lussac
Villefranche-de-Lonchat
Castillon-la-Bataille
Vélines
Branne
Pujols
Dordogne
Créon
Targon
Pellegrue
Sauveterre-de-Guyenne
Andernos-les-Bains
Arès
Audenge
Gujan-Mestras
Facture
La Teste-de-Buch
St-Médard-en-Jalles
La Brède
Podensac
Cadillac
Ste-Croix-du-Mont
St-Macaire
La Réole
Monségur
Langon
GARONNE
GIRONDE
33
Sanguinet
Belin-Béliet
Villandraut
St-Symphorien
Auros
Marmande
Bazas
Grignols
Parentis-en-Born
Pissos
Sore
Captieux
Casteljaloux
Labouheyre
Sabres
Houeillès
Labrit
LANDES
40
Morcenx
Roquefort
St-Justin
Barbotan-les-Thermes
Gabarret
Cazaubon
Montréal
32
Mont-de-Marsan
Villeneuve-de-Marsan
Tartas
Eauze
Grenade-s-l'Adour
Mugron
St-Sever
Nogaro
Aire-s-l'Adour
Eugénie-les-Bains
Montfort-en-Chalosse
Hagetmau
Aignan
Riscle
Geaune
Amou
Plaisance
Castelnau-Rivière-Basse
Garlin
Arzacq-Arraziguet
Orthez
Salies-de-Béarn
Sauveterre-de-B.
Thèze
Lembeye
Maubourguet
Marciac
Mourenx
Lacq
Vic-en-Bigorre
Rabastens-de-Bigorre
Navarrenx
Monein
Lescar
Morlaàs
PAU
Mauléon-Licharre
Oloron-Ste-Marie
Tarbes
Pontacq
Ossun
Nay
Aramits
Lurbe-St-Christau
Lestelle-Bétharram
St-Pé-de-Bigorre
Grottes de Bétharram
Arudy
Lourdes
Bagnères-de-Bigorre
Grotte de Médous
Argelès-Gazost
C.d'Aubisque
Laruns
Accous
Lescun
C. de la Pierre St Martin
Alto Laza
Pierrefitte-Nestalas
P. du Midi de Bigorre
Campan
38-39

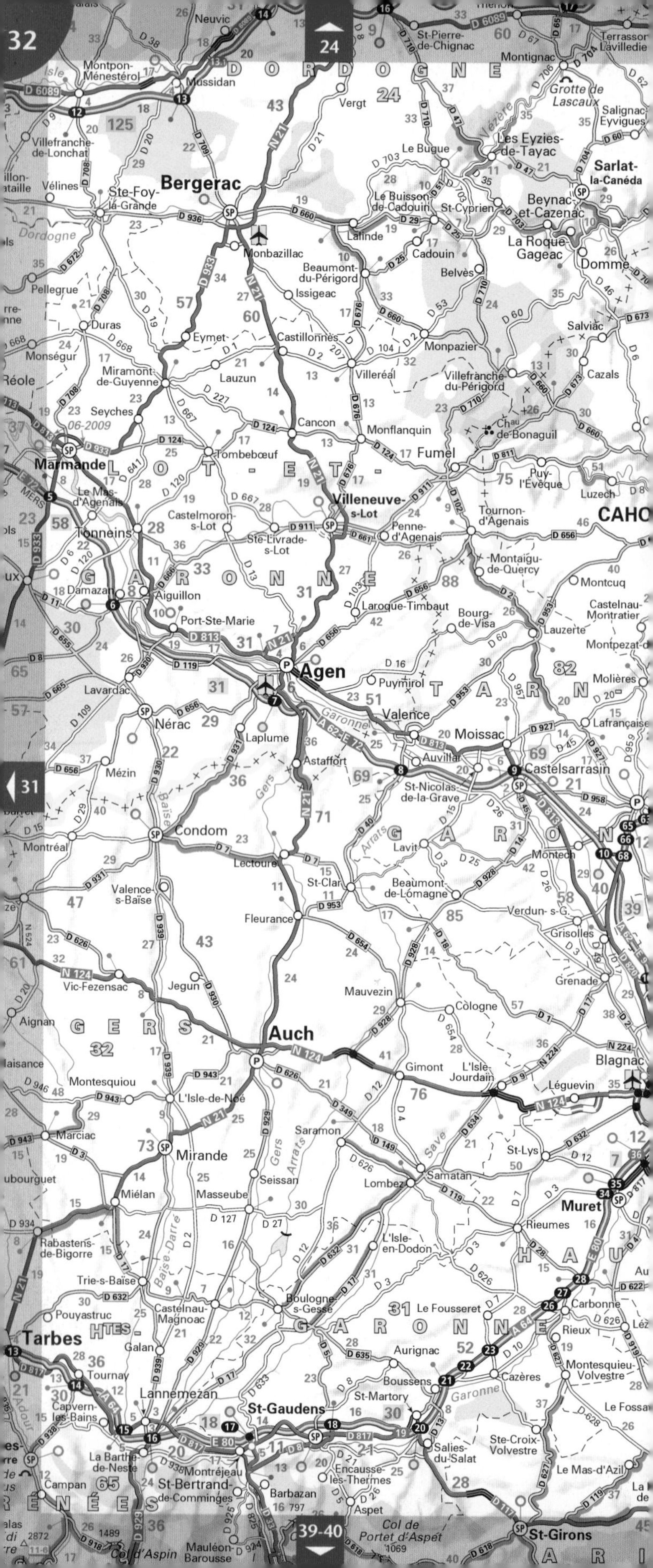

24
DORDOGNE
Bergerac
Ste-Foy-la-Grande
Mussidan
Montpon-Ménestérol
Neuvic
Vergt
St-Pierre-de-Chignac
Montignac
Grotte de Lascaux
Terrasson-Lavilledieu
Le Bugue
Les Eyzies-de-Tayac
Sarlat-la-Canéda
Salignac-Eyvigues
Le Buisson-de-Cadouin
St-Cyprien
Beynac-et-Cazenac
La Roque-Gageac
Domme
Lalinde
Cadouin
Belvès
Beaumont-du-Périgord
Monbazillac
Issigeac
Villefranche-de-Lonchat
Vélines
Pellegrue
Duras
Eymet
Castillonnès
Monpazier
Villeréal
Villefranche-du-Périgord
Salviac
Cazals
Monségur
Miramont-de-Guyenne
Lauzun
Seyches
Marmande
Cancon
Monflanquin
Fumel
Chau de Bonaguil
Tombebœuf
LOT-ET-GARONNE
Le Mas-d'Agenais
Tonneins
Castelmoron-s-Lot
Ste-Livrade-s-Lot
Villeneuve-s-Lot
Penne-d'Agenais
Tournon-d'Agenais
Puy-l'Évêque
Luzech
CAHO
Montaigu-de-Quercy
Montcuq
Damazan
Aiguillon
Port-Ste-Marie
Laroque-Timbaut
Bourg-de-Visa
Lauzerte
Castelnau-Montratier
Montpezat-d
Agen
Puymirol
TARN
Molières
Lavardac
Nérac
Laplume
Valence
Moissac
Lafrançaise
Mézin
Astaffort
Auvillar
St-Nicolas-de-la-Grave
Castelsarrasin
GARONNE
Condom
Montréal
Lectoure
Lavit
Montech
Valence-s-Baïse
St-Clar
Beaumont-de-Lomagne
Fleurance
Verdun-s-G.
Grisolles
Vic-Fezensac
Jegun
Mauvezin
Grenade
Aignan
GERS 32
Auch
Cologne
Montesquiou
L'Isle-de-Noé
Gimont
L'Isle-Jourdain
Léguevin
Blagnac
Marciac
Mirande
Saramon
St-Lys
Seissan
Samatan
Lombez
Miélan
Masseube
Muret
Rabastens-de-Bigorre
Rieumes
L'Isle-en-Dodon
HAUTE-GARONNE
Trie-s-Baïse
Pouyastruc
Castelnau-Magnoac
Boulogne-s-Gesse
Le Fousseret
Carbonne
Rieux
Tarbes
HTES-
Galan
Aurignac
Montesquieu-Volvestre
Tournay
Lannemezan
Boussens
Cazères
St-Martory
Capvern-les-Bains
St-Gaudens
Le Fossat
La Barthe-de-Neste
Montréjeau
Salies-du-Salat
Ste-Croix-Volvestre
Campan
St-Bertrand-de-Comminges
Encausse-les-Thermes
Le Mas-d'Azil
PYRÉNÉES 65
Barbazan
Aspet
St-Girons
Col d'Aspin
Mauléon-Barousse
Col de Portet d'Aspet
ARI
Garonne
Dordogne
Baïse
Gers
Arrats
Save
Adour
Vézère
Isle

24
31
39-40

25

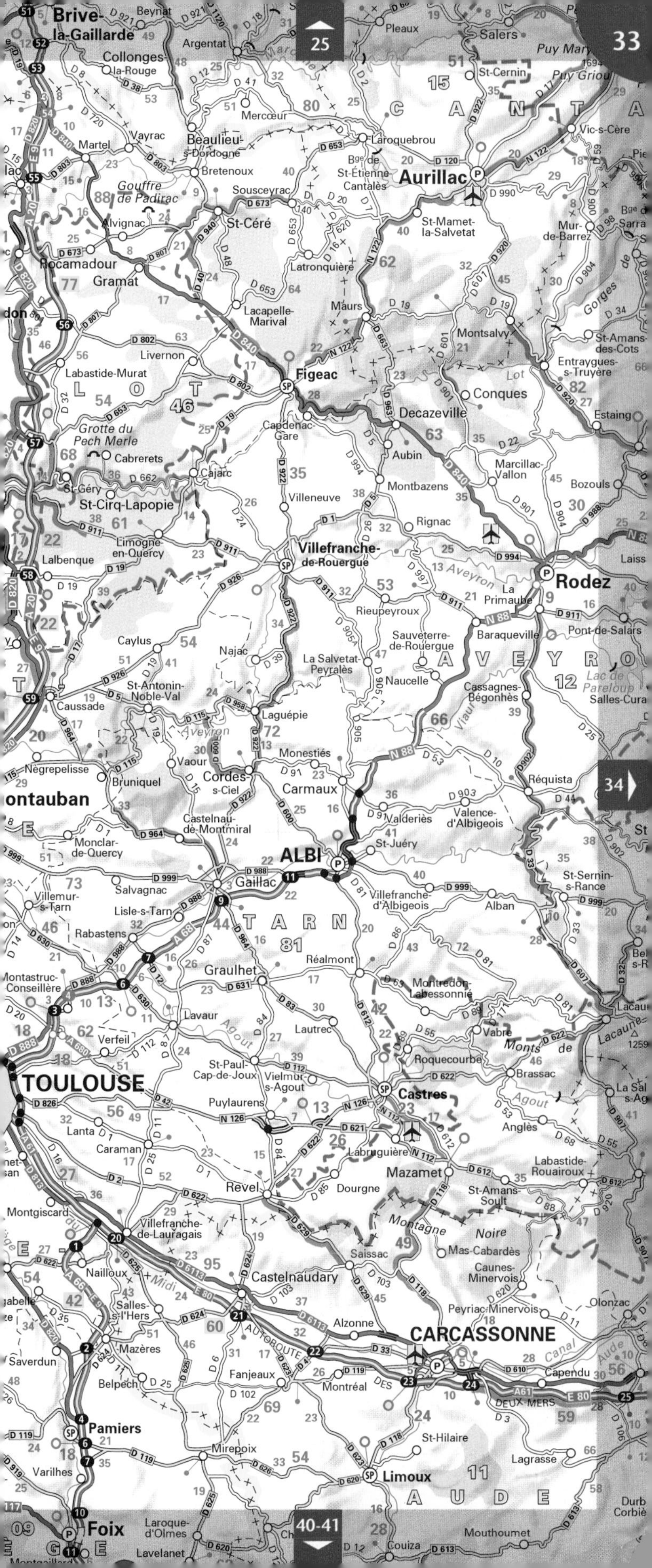

Brive-la-Gaillarde
Beynat
Argentat
Pleaux
Salers
Puy Mary
Puy Griou
Collonges-la-Rouge
St-Cernin
Mercœur
Vayrac
Martel
Beaulieu-s-Dordogne
Bretenoux
Laroquebrou
Bge de St-Étienne-Cantalès
Aurillac
Vic-s-Cère
Gouffre de Padirac
Sousceyrac
St-Céré
Alvignac
St-Mamet-la-Salvetat
Mur-de-Barrez
Bge de Sarrans
Rocamadour
Gramat
Latronquière
Lacapelle-Marival
Maurs
Montsalvy
St-Amans-des-Cots
Gorges de la Truyère
Entraygues-s-Truyère
Livernon
Labastide-Murat
Figeac
Conques
Decazeville
Estaing
Grotte du Pech Merle
Cabrerets
Capdenac-Gare
Aubin
Marcillac-Vallon
Bozouls
Cajarc
St-Géry
St-Cirq-Lapopie
Villeneuve
Montbazens
Rignac
Limogne-en-Quercy
Lalbenque
Villefranche-de-Rouergue
Rodez
La Primaube
Rieupeyroux
Baraqueville
Pont-de-Salars
Caylus
Najac
La Salvetat-Peyralès
Sauveterre-de-Rouergue
Naucelle
Lac de Pareloup
Salles-Curan
Caussade
St-Antonin-Noble-Val
Laguépie
Cassagnes-Bégonhès
Nègrepelisse
Bruniquel
Vaour
Cordes-s-Ciel
Monestiés
Carmaux
Réquista
Montauban
Castelnau-de-Montmiral
Valderiès
Valence-d'Albigeois
Monclar-de-Quercy
ALBI
St-Juéry
Gaillac
Salvagnac
Villemur-s-Tarn
Lisle-s-Tarn
Rabastens
Villefranche-d'Albigeois
Alban
St-Sernin-s-Rance
Graulhet
Réalmont
Montastruc-la-Conseillère
Montredon-Labessonnié
Lacaune
Lavaur
Lautrec
Vabre
Monts de Lacaune
Verfeil
Roquecourbe
Brassac
TOULOUSE
St-Paul-Cap-de-Joux
Vielmur-s-Agout
Castres
La Salvetat-s-Agout
Puylaurens
Lanta
Caraman
Labruguière
Anglès
Mazamet
Labastide-Rouairoux
Revel
Dourgne
St-Amans-Soult
Montgiscard
Villefranche-de-Lauragais
Montagne Noire
Saissac
Mas-Cabardès
Nailloux
Castelnaudary
Caunes-Minervois
Salles-s-l'Hers
Alzonne
Peyriac-Minervois
Olonzac
Mazères
CARCASSONNE
Saverdun
Fanjeaux
Montréal
Capendu
Belpech
Pamiers
St-Hilaire
Lagrasse
Varilhes
Mirepoix
Limoux
Foix
Laroque-d'Olmes
Lavelanet
Couiza
Mouthoumet
LOT
46
CANTAL
15
AVEYRON
12
TARN
81
AUDE
11
A 20
A 61
A 68
A 66
N 88
N 122
N 126
D 840
E 80
E 9
Canal du Midi
AUTOROUTE DES DEUX MERS

34
40-41

34
26
33
41
Le Lioran
Murat
Plomb du Cantal
St-Flour
Vic-s-Cère
Pierrefort
Alleuze
Bge de Grandval
Vduc de Garabit
Ruynes-en-Margeride
Chilhac
Langeac
Pinols
Loudes
St-Paulien
Le Puy-en-Velay
Saugues
Monistrol-d'Allier
Cayres
Le Malzieu-Ville
Grandrieu
Chaudes-Aigues
Fournels
St-Chély-d'Apcher
St-Alban-s-Limagnole
Bge de Naussac
Langogne
Mur-de-Barrez
Bge de Sarrans
Ste-Geneviève-s-Argence
Gorges de la Truyère
Aumont-Aubrac
St-Amans-des-Cots
Entraygues-s-Truyère
Laguiole
Nasbinals
Monts d'Aubrac
Aubrac
St-Chély-d'Aubrac
St-Amans
Châteauneuf-de-Randon
LOZÈRE
Estaing
Espalion
Marvejols
Déb. 2009
Bagnols-les-Bains
Mende
St-Germain-du-Teil
St-Geniez-d'Olt
Bozouls
Le Bleymard
Mt Lozère
La Canourgue
Chanac
Lot
Villefort
Laissac
Ste-Enimie
Le Pont-de-Montvert
Génolhac
Parc National
Rodez
Le Massegros
Sévérac-le-Château
Vézins-de-Lévézou
Florac
Gorges du Tarn
La Malène
Pont-de-Salars
Les Vignes
Barre-des-Cévennes
St Germain-de-Calberte
Aven Armand
Corniche des Cévennes
Lac de Pareloup
St-Beauzély
Le Rozier
Grte de Dargilan
Chaos de Montpellier le V.
Meyrueis
Salles-Curan
St-André-de-Valborgne
Viaduc de Millau
Millau
Mt Aigoual
St-Jean-du-Gard
Trèves
Cévennes
Valleraugue
Lasalle
St-Rome-de-Tarn
La Cavalerie
Nant
St-Jean-du-Bruel
Le Vigan
St-Hippolyte-du-Fort
St-Affrique
Roquefort-s-Soulzon
Alzon
Ganges
La Couvertoirade
Cque de Navacelles
Grte des Demoiselles
St-Sernin-s-Rance
Cornus
Le Caylar
Camarès
Belmont-s-Rance
St-Martin-de-Londres
St-Guilhem-le-Désert
Lodève
Hérault
Les Matelles
Lacaune
Le Bousquet-d'Orb
Lunas
Grte de Clamouse
Aniane
Murat-s-Vèbre
St-Gervais-s-Mare
Gignac
La Salvetat-s-Agout
Lamalou-les-Bains
Clermont-l'Hérault
Bédarieux
MONTPELLIER
Olargues
HÉRAULT
Roquebrun
St-Pons-de-Thomières
Roujan
Pézenas
Montagnac
La Languedocienne
Balaruc-les-Bains
Frontignan
Murviel-lès-Béziers
Servian
St-Chinian
Béziers
Fin 2009
Florensac
Mèze
Bin de Thau
Sète
Puisserguier
Capestang
Marseillan
Vias
Agde
Olonzac
Le Cap-d'Agde
Coursan
Valras-Plage
Narbonne
Lézignan-Corbières
Narbonne-Plage
Abbe de Fontfroide
Gruissan
Sigean
Durban-Corbières
Port-la-Nouvelle
GOLFE

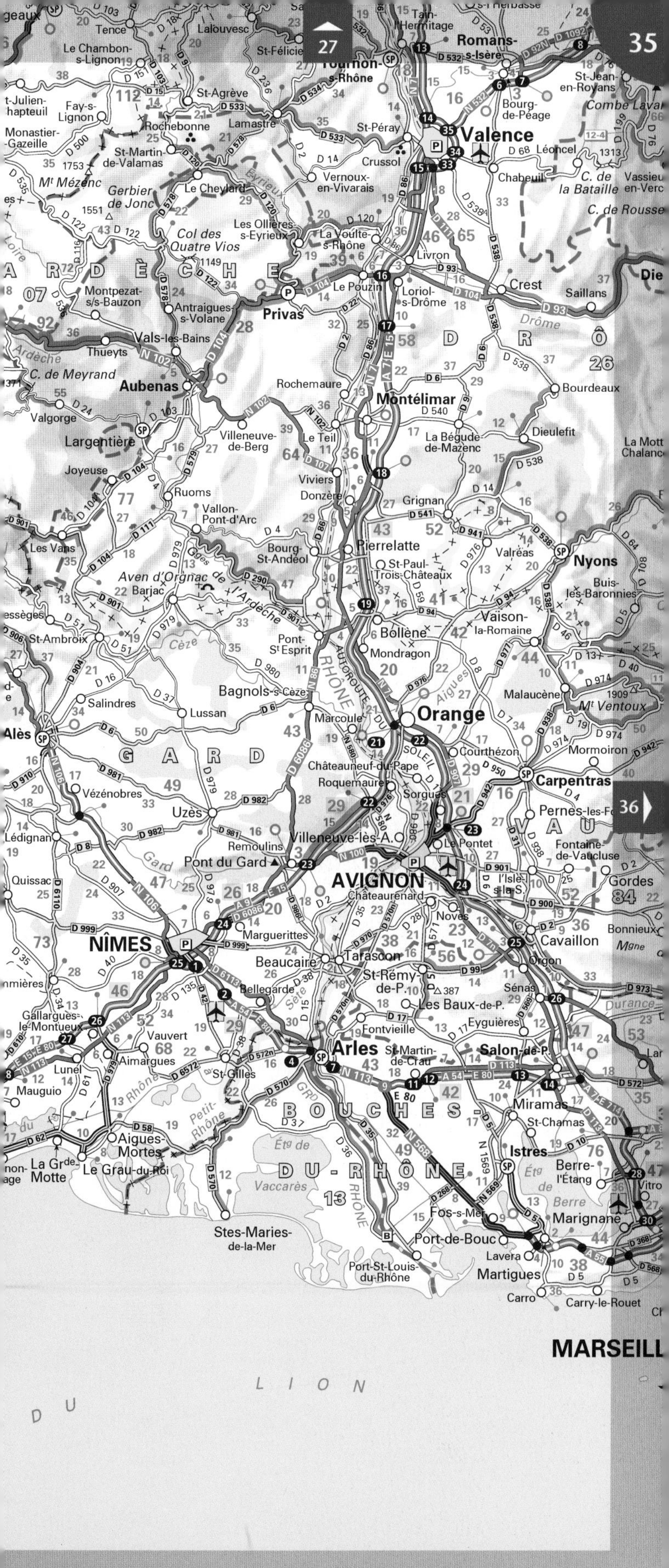
27
36
Tence
Lalouvesc
Le Chambon-s-Lignon
St-Félicien
Tournon-s-Rhône
Tain-l'Hermitage
Romans-s-Isère
St-Jean-en-Royans
Combe Laval
St-Agrève
Fay-s-Lignon
Rochebonne
Lamastre
St-Péray
Valence
Bourg-de-Péage
Monastier-Gazeille
St-Martin-de-Valamas
Crussol
Léoncel
Chabeuil
Vassieux-en-Vercors
C. de la Bataille
C. de Rousset
Mt Mézenc
Gerbier de Jonc
Le Cheylard
Vernoux-en-Vivarais
Les Ollières-s-Eyrieux
La Voulte-s-Rhône
Livron
Col des Quatre Vios
A R D È C H E
Privas
Le Pouzin
Loriol-s-Drôme
Crest
Saillans
Die
Montpezat-s/s-Bauzon
Antraigues-s-Volane
Vals-les-Bains
Thueyts
C. de Meyrand
Aubenas
Valgorge
Largentière
Rochemaure
Montélimar
D R Ô M E
Bourdeaux
Dieulefit
Villeneuve-de-Berg
Le Teil
La Bégude-de-Mazenc
La Motte-Chalancon
Joyeuse
Ruoms
Vallon-Pont-d'Arc
Viviers
Donzère
Grignan
Les Vans
Bourg-St-Andéol
Pierrelatte
St-Paul-Trois-Châteaux
Valréas
Nyons
Aven d'Orgnac
Gges de l'Ardèche
Barjac
Buis-les-Baronnies
Vaison-la-Romaine
St-Ambroix
Pont-St Esprit
Bollène
Mondragon
Salindres
Lussan
Bagnols-s-Cèze
Malaucène
Mt Ventoux
Alès
Marcoule
Orange
G A R D
Courthézon
Mormoiron
Châteauneuf-du-Pape
Carpentras
Vézénobres
Roquemaure
Sorgues
Pernes-les-Fontaines
Uzès
Villeneuve-lès-A.
Le Pontet
Lédignan
Remoulins
Fontaine-de-Vaucluse
Quissac
Pont du Gard
AVIGNON
l'Isle-s-la-S.
Gordes
Châteaurenard
Noves
Bonnieux
Cavaillon
NÎMES
Marguerittes
Beaucaire
Tarascon
St-Rémy-de-P.
Orgon
Bellegarde
Les Baux-de-P.
Sénas
Gallargues-le-Montueux
Vauvert
Fontvieille
Eyguières
Aimargues
St-Gilles
Arles
St-Martin-de-Crau
Salon-de-P.
Lunel
Mauguio
B O U C H E S - D U - R H Ô N E
Miramas
St-Chamas
Aigues-Mortes
Le Grau-du-Roi
La Gde-Motte
Étg de Vaccarès
Istres
Berre-l'Étang
Étg de Berre
Fos-s-Mer
Marignane
Stes-Maries-de-la-Mer
Port-de-Bouc
Lavera
Martigues
Port-St-Louis-du-Rhône
Carro
Carry-le-Rouet
MARSEILL
DU LION

28
35
Villard-de-Lans
Vif
Bourg-d'Oisans
La Grave
Col du Lautaret
La Meije
Bge du Chambon
Les Deux-Alpes
La Bérarde
Écrins
Les Écrins
Massif des Mt Pelvoux
Parc National des Écrins
Ailefroide
Vallouise
L'Argentière-la-Bessée
Grds Goulets
Combe Laval
La Chapelle-en-Vercors
Monestier-de-Clermont
La Mure
Valbonnais
P. d'Olan
Gresse-en-Vercors
Vassieux-en-Vercors
C. de Rousset
C. de Menée
Clelles
Mens
Corps
La Chapelle-en-Valgaudémar
St-Firmin
Vx Chaillol
l'Obiou
Col de la Croix Haute
St-Étienne-en-Dévoluy
St-Bonnet-en-Champsaur
Orcières
Die
Châtillon-en-Diois
Saillans
C. de Grimone
C. du Festre
HTES - ALP
05
Col Bayard
Gap
Luc-en-Diois
Embrun
Chorges
La Bâtie-Neuve
Veynes
Col de Cabre
Aspres-s-Buëch
Savines
Bge de Serre-Ponçon
Tallard
La Motte-Chalancon
Rémuzat
Rosans
Serres
Le Lauzet-Ubaye
Turriers
Durance
Eygues
Nyons
ALPES-
Seyne
Col de Maure
La Motte-du-Caire
Orpierre
Laragne-Montéglin
Buis-les-Baronnies
Ouvèze
Ribiers
Sisteron
Séderon
Noyers-s-Jabron
La Javie
Mt Ventoux
Mgne de Lure
Volonne
Château-Arnoux-St-Auban
HTE-PRO
Digne-les-Bains
Mormoiron
Sault
St-Étienne-les-Orgues
Peyruis
Banon
Les Mées
Mézel
Bléone
Barrême
VAUCLUSE
Forcalquier
Oraison
Senez
Gordes
Reillanne
Moustiers-Ste-Marie
Castel
Apt
Volx
Valensole
Bonnieux
Mgne du Lubéron
Manosque
Riez
Gréoux-les-Bains
Ste-Tulle
Lac de Ste Croix
Grd Canyon du Verdon
Cadenet
Pertuis
Bge de Cadarache
Verdon
VAR
83
Aups
Lambesc
Peyrolles-en-Provence
Canal de Provence
Rians
Tavernes
Barjols
Salernes
AIX-EN-PROVENCE
Cotignac
Lorgues
Carcès
Argens
St-Maximin-la-Ste-Baume
Vitrolles
Berre-l'Étang
Marignane
Gardanne
Trets
LA PROVENCALE
Brignoles
Le Luc
La Roquebrussanne
Besse-s-I.
Roquevaire
Aubagne
Gémenos
Plan-d'Aups-Ste-Baume
Carry-le-Rouet
Chau d'If
MARSEILLE
Collobrières
Cuers
Massif des Maures
Bormes-les-Mimosas
Cassis
Le Beausset
Solliès-Pont
La Ciotat
Les Lecques
Ollioules
La Crau
Hyères
Bandol
Sanary-s-M.
Carqueiranne
La Londe-les-Maures
Six-Fours-les-Plages
La Seyne-s-M.
TOULON
St-Mandrier-s-M.
Cap Sicié
Giens
La Tour-Fondue
Porquerolles
Port-Cros
Îles d'
A 51
A 8
E 80
E 712
N 85
D 994
D 1075

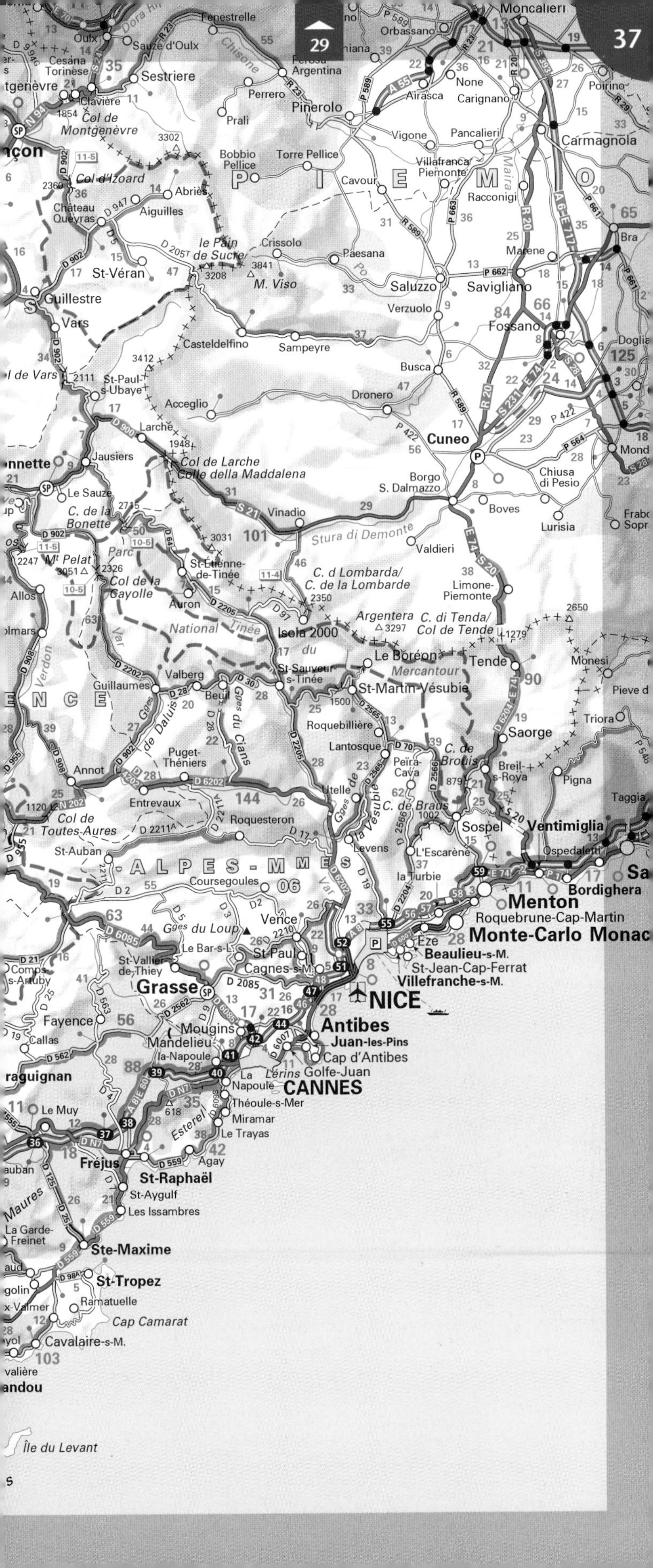

37
29
Moncalieri
Fenestrelle
Orbassano
Oulx
Sauze d'Oulx
Cesana Torinese
Sestriere
Perosa Argentina
Airasca
None
Carignano
Poirino
Clavière
Col de Montgenèvre
Perrero
Prali
Pinerolo
Vigone
Pancalieri
Carmagnola
Bobbio Pellice
Torre Pellice
Villafranca Piemonte
Cavour
Col d'Izoard
Abriès
Château Queyras
Aiguilles
Racconigi
PIEMONTE
Bra
le Pain de Sucre
Crissolo
Paesana
Marene
M. Viso
St-Véran
Saluzzo
Savigliano
Guillestre
Vars
Verzuolo
Fossano
Casteldelfino
Sampeyre
Dogliani
St-Paul-s-Ubaye
Busca
Acceglio
Dronero
Larche
Cuneo
Jausiers
Col de Larche
Colle della Maddalena
Borgo S. Dalmazzo
Chiusa di Pesio
Le Sauze
C. de la Bonette
Vinadio
Boves
Lurisia
Stura di Demonte
Valdieri
Mt Pelat
Parc
St-Étienne-de-Tinée
C. d Lombarda/
C. de la Lombarde
Limone-Piemonte
Allos
Col de la Cayolle
Auron
Argentera
C. di Tenda/
Col de Tende
National
Tinée
Isola 2000
Monesi
Le Boréon
Mercantour
Tende
Guillaumes
Valberg
Beuil
St-Sauveur-s-Tinée
St-Martin-Vésubie
Pieve di Teco
Gges de Daluis
Gges du Cians
Roquebillière
Triora
Saorge
Lantosque
Peïra-Cava
C. de Brouis
Puget-Théniers
Annot
Breil-s-Roya
Pigna
Entrevaux
Utelle
Gges de la Vésubie
C. de Braus
Taggia
Col de Toutes Aures
Roquesteron
Sospel
Ventimiglia
Levens
L'Escarène
St-Auban
ALPES-MMES
Ospedaletti
la Turbie
Coursegoules
Bordighera
Menton
Roquebrune-Cap-Martin
Vence
Gges du Loup
Monte-Carlo Monaco
Èze
Le Bar-s-L.
St-Paul
Beaulieu-s-M.
St-Vallier-de-Thiey
Cagnes-s-M.
St-Jean-Cap-Ferrat
Villefranche-s-M.
Grasse
NICE
Fayence
Mougins
Antibes
Callas
Mandelieu-la-Napoule
Juan-les-Pins
Cap d'Antibes
Golfe-Juan
Lérins
La Napoule
CANNES
Théoule-s-Mer
Le Muy
Miramar
Esterel
Le Trayas
Agay
Fréjus
St-Raphaël
St-Aygulf
Les Issambres
Maures
La Garde-Freinet
Ste-Maxime
St-Tropez
Ramatuelle
Cap Camarat
Cavalaire-s-M.
Île du Levant

30-31

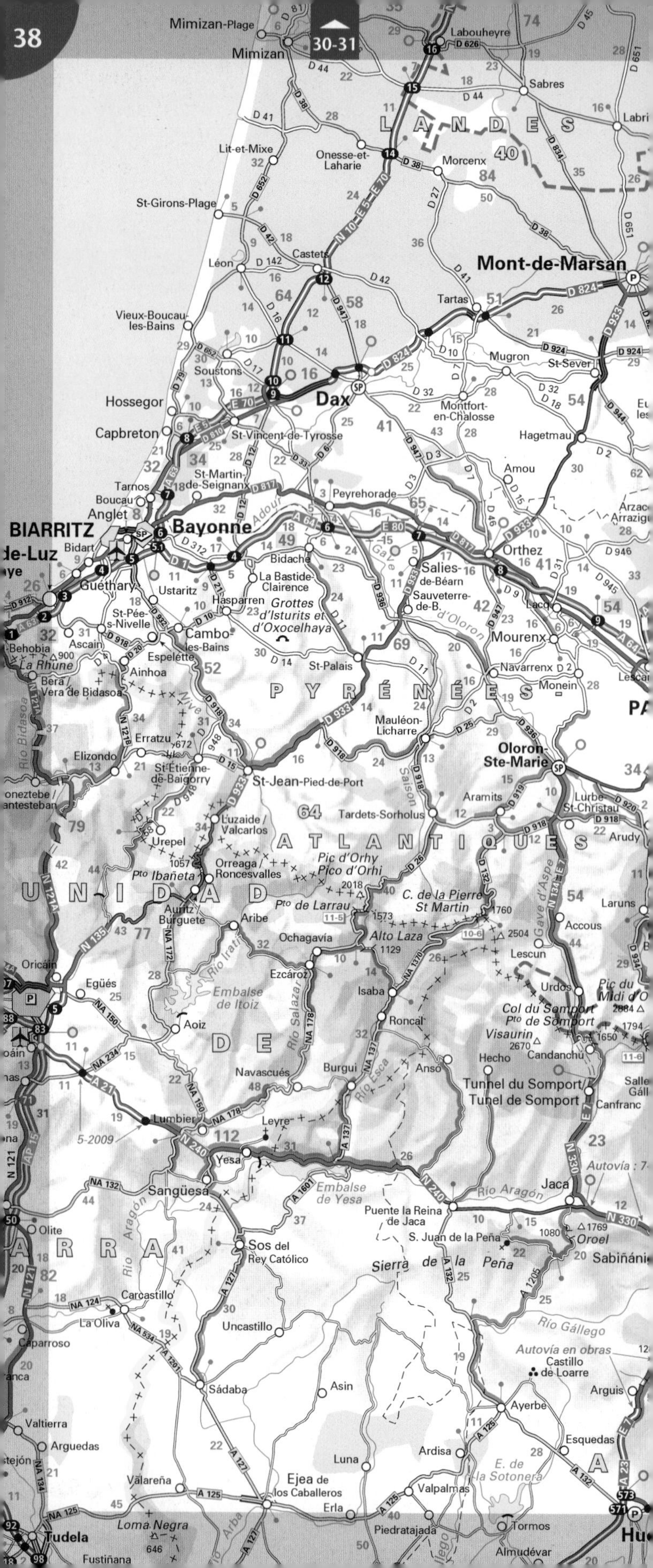

Mimizan-Plage
Mimizan
Labouheyre
Sabres
L A N D E S
40
Lit-et-Mixe
Onesse-et-Laharie
Morcenx
St-Girons-Plage
Castets
Léon
Mont-de-Marsan
Tartas
Vieux-Boucau-les-Bains
Soustons
Mugron
St-Sever
Hossegor
Dax
Montfort-en-Chalosse
Capbreton
St-Vincent-de-Tyrosse
Hagetmau
Tarnos
St-Martin-de-Seignanx
Amou
Boucau
Anglet
Peyrehorade
BIARRITZ
Bayonne
Adour
Orthez
Bidart
Bidache
Salies-de-Béarn
Guéthary
Ustaritz
La Bastide-Clairence
Sauveterre-de-B.
Hasparren
Grottes d'Isturits et d'Oxocelhaya
St-Pée-s-Nivelle
Cambo-les-Bains
Gave d'Oloron
Lacq
Mourenx
Behobia
Ascain
Espelette
La Rhune
Ainhoa
St-Palais
Navarrenx
Monein
Bera / Vera de Bidasoa
P Y R É N É E S -
Río Bidasoa
Nive
Mauléon-Licharre
Erratzu
Oloron-Ste-Marie
Elizondo
St-Étienne-de-Baigorry
St-Jean-Pied-de-Port
Saison
Aramits
Lurbe-St-Christau
Doneztebe / Santesteban
Tardets-Sorholus
Arudy
Luzaide / Valcarlos
Urepel
A T L A N T I Q U E S
Orreaga / Roncesvalles
Pic d'Orhy
Pico d'Orhi
Pto Ibañeta
U N I D A D
Pto de Larrau
C. de la Pierre St Martin
Laruns
Auritz / Burguete
Aribe
Accous
Alto Laza
Gave d'Aspe
Lescun
Oricáin
Río Irati
Ochagavía
Ezcároz
Urdos
Pic du Midi d'O
Egüés
Embalse de Itoiz
Isaba
Col du Somport
Pto de Somport
Roncal
Visaurin
Candanchú
Aoiz
D E
Río Salazar
Río Esca
Ansó
Hecho
Navascués
Burgui
Tunnel du Somport / Tunel de Somport
Canfranc
Lumbier
Leyre
5-2009
Yesa
Autovía
Sangüesa
Embalse de Yesa
Río Aragón
Jaca
Olite
Puente la Reina de Jaca
A R R A
Sos del Rey Católico
S. Juan de la Peña
Oroel
Sabiñánigo
Sierra de la Peña
Carcastillo
La Oliva
Uncastillo
Río Gállego
Caparroso
Autovía en obras
Castillo de Loarre
Sádaba
Asin
Arguis
Ayerbe
Valtierra
Arguedas
Esquedas
Luna
Ardisa
E. de la Sotonera
Valareña
Ejea de los Caballeros
Valpalmas
Erla
Loma Negra
Piedratajada
Tormos
Tudela
Fustiñana
Almudévar

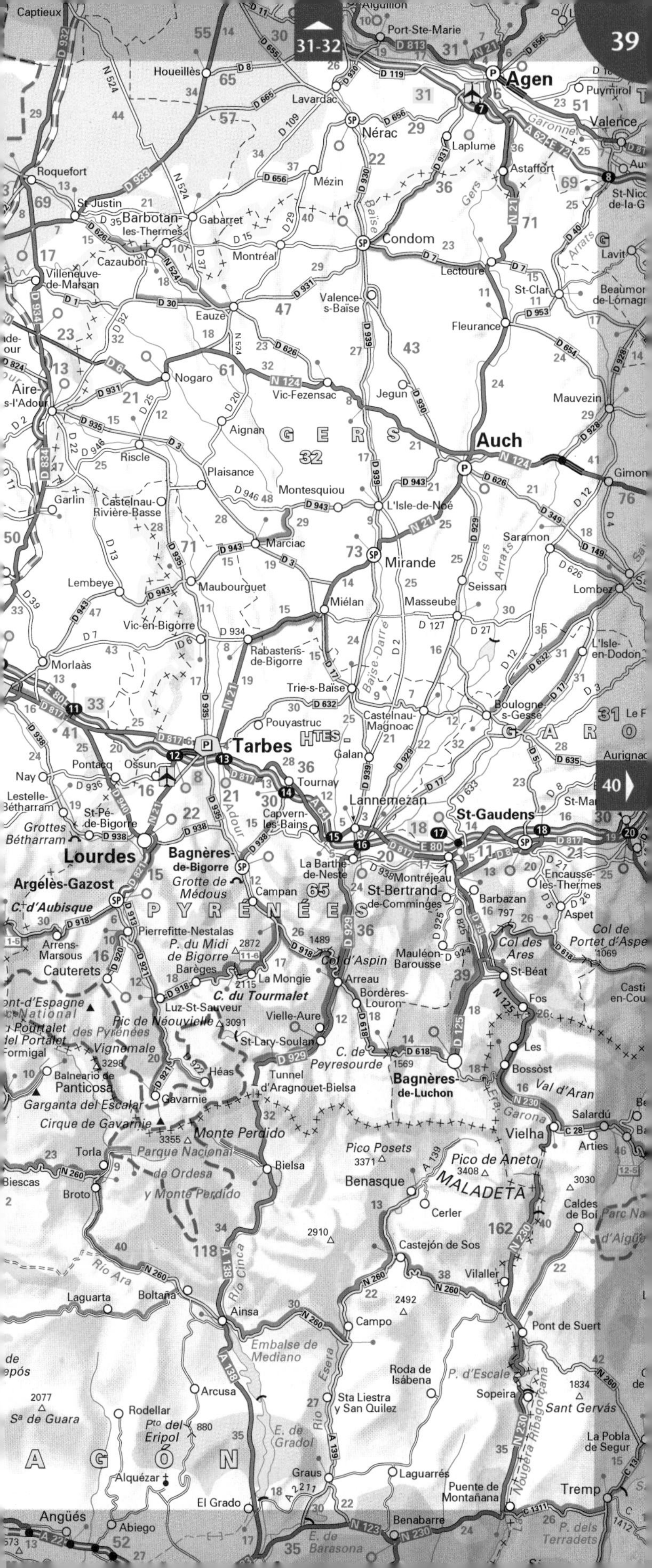
31-32
40
Captieux
Aiguillon
Port-Ste-Marie
Agen
Puymirol
Valence
Houeillès
Lavardac
Nérac
Laplume
Astaffort
St-Nicolas-de-la-G
Roquefort
Mézin
St-Justin
Barbotan-les-Thermes
Gabarret
Condom
Lavit
Cazaubon
Montréal
Lectoure
St-Clar
Villeneuve-de-Marsan
Valence-s-Baïse
Fleurance
Eauze
Nogaro
Vic-Fezensac
Jegun
Mauvezin
Aire-s-l'Adour
Aignan
GERS
32
Auch
Riscle
Plaisance
Montesquiou
Gimont
Garlin
Castelnau-Rivière-Basse
L'Isle-de-Noé
Saramon
Marciac
Mirande
Lembeye
Maubourguet
Seissan
Lombez
Miélan
Masseube
Vic-en-Bigorre
Rabastens-de-Bigorre
L'Isle-en-Dodon
Morlaàs
Trie-s-Baïse
Boulogne-s-Gesse
Pouyastruc
Castelnau-Magnoac
Tarbes
HTES-GARONNE
Galan
Pontacq
Ossun
Nay
Tournay
Lestelle-Bétharram
St-Pé-de-Bigorre
Capvern-les-Bains
Lannemezan
St-Gaudens
Grottes Bétharram
Lourdes
Bagnères-de-Bigorre
La Barthe-de-Neste
Montréjeau
Encausse-les-Thermes
Argelès-Gazost
Grotte de Médous
Campan
St-Bertrand-de-Comminges
Barbazan
Aspet
C. d'Aubisque
PYRÉNÉES
Arrens-Marsous
Pierrefitte-Nestalas
P. du Midi de Bigorre
2872
Col d'Aspin
Mauléon-Barousse
Col des Ares
Col de Portet d'Aspet
Cauterets
Barèges
La Mongie
Arreau
St-Béat
C. du Tourmalet
Bordères-Louron
Fos
Luz-St-Sauveur
Vielle-Aure
Pic de Néouvielle
3091
St-Lary-Soulan
Parc National des Pyrénées
Vignemale
3298
C. de Peyresourde
Les
Bossòst
Héas
Tunnel d'Aragnouet-Bielsa
Bagnères-de-Luchon
Val d'Aran
Balneario de Panticosa
Garganta del Escalar
Gavarnie
Cirque de Gavarnie
Salardú
Vielha
Arties
3355
Monte Perdido
Pico Posets
3371
Pico de Aneto
3408
MALADETA
Torla
Parque Nacional de Ordesa y Monte Perdido
Bielsa
Biescas
Broto
Benasque
Cerler
Caldes de Boí
Castejón de Sos
Vilaller
Río Ara
Laguarta
Boltaña
Ainsa
Río Cinca
Campo
Pont de Suert
Embalse de Mediano
Roda de Isábena
P. d'Escales
Sopeira
Sant Gervás
Arcusa
Sta Liestra y San Quilez
Sa de Guara
Rodellar
Pto del Eripol
E. de Gradol
La Pobla de Segur
ARAGÓN
Alquézar
Graus
Laguarrés
Puente de Montañana
Tremp
El Grado
Angüés
Abiego
Benabarre
E. de Barasona
P. dels Terradets
Noguera Ribagorçana
Garonne
Baïse
Adour
Arrats
Gers

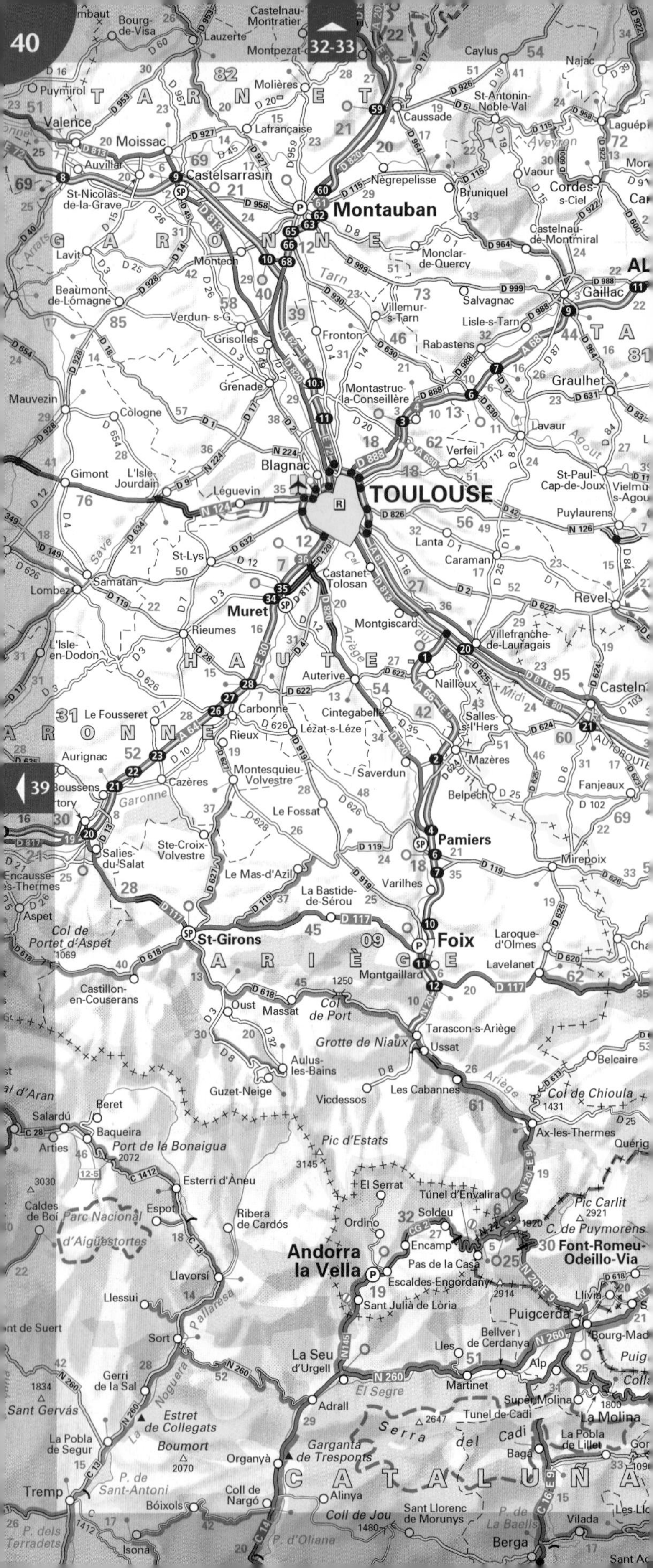

32-33
39
Montauban
TOULOUSE
Castelsarrasin
Moissac
Valence
Lafrançaise
Caussade
Caylus
St-Antonin-Noble-Val
Nègrepelisse
Bruniquel
Cordes-s-Ciel
Castelnau-de-Montmiral
Gaillac
Lisle-s-Tarn
Rabastens
Villemur-s-Tarn
Fronton
Grisolles
Grenade
Verdun-s-G.
Montech
Beaumont-de-Lomagne
Lavit
St-Nicolas-de-la-Grave
Auvillar
Monclar-de-Quercy
Salvagnac
Graulhet
Lavaur
Montastruc-la-Conseillère
Verfeil
Blagnac
Léguevin
L'Isle-Jourdain
Gimont
Mauvezin
Cologne
St-Paul-Cap-de-Joux
Puylaurens
Lanta
Caraman
Revel
Castanet-Tolosan
Muret
St-Lys
Samatan
Lombez
Rieumes
Montgiscard
Villefranche-de-Lauragais
Nailloux
Auterive
Cintegabelle
Carbonne
Le Fousseret
L'Isle-en-Dodon
Rieux
Lézat-s-Léze
Salles-s-l'Hers
Mazères
Saverdun
Montesquieu-Volvestre
Cazères
Aurignac
Boussens
Belpech
Fanjeaux
Le Fossat
Pamiers
Mirepoix
Salies-du-Salat
Ste-Croix-Volvestre
Le Mas-d'Azil
La Bastide-de-Sérou
Varilhes
Foix
St-Girons
Aspet
Col de Portet d'Aspet
Laroque-d'Olmes
Lavelanet
Montgaillard
Castillon-en-Couserans
Oust
Massat
Col de Port
Tarascon-s-Ariège
Grotte de Niaux
Ussat
Aulus-les-Bains
Guzet-Neige
Vicdessos
Les Cabannes
Belcaire
Col de Chioula
Ax-les-Thermes
Pic d'Estats
Beret
Salardú
Arties
Baqueira
Port de la Bonaigua
Esterri d'Àneu
Caldes de Boí
Parc Nacional d'Aigüestortes
Espot
Ribera de Cardós
El Serrat
Ordino
Túnel d'Envalira
Soldeu
Encamp
Pas de la Casa
Andorra la Vella
Escaldes-Engordany
Sant Julià de Lòria
Pic Carlit
C. de Puymorens
Font-Romeu-Odeillo-Via
Llívia
Puigcerdà
Bourg-Madame
Llavorsí
Llessui
Sort
La Seu d'Urgell
Lles
Bellver de Cerdanya
Alp
Martinet
Gerri de la Sal
Sant Gervás
Estret de Collegats
Boumort
La Pobla de Segur
Adrall
El Segre
Super Molina
La Molina
Tunel de Cadí
Serra del Cadí
Garganta de Tresponts
Organyà
Bagà
La Pobla de Lillet
Tremp
P. de Sant-Antoni
Coll de Nargó
Alinya
Bòixols
Coll de Jou
Sant Llorenc de Morunys
P. de La Baells
Vilada
Berga
P. dels Terradets
Isona
P. d'Oliana
TARN-ET-GARONNE
HAUTE-GARONNE
ARIÈGE
CATALUÑA
TARN

33-34

Rieupeyroux
Primaube
Baraqueville
Sauveterre-de-Rouergue
Pont-de-Salars
Sévérac-le-Château
Les Vignes
AVEYRON
Naucelle
Cassagnes-Bégonhès
Lac de Pareloup
Salles-Curan
St-Beauzély
Le Rozier
Grte de Dargilan
Chaos de Montpellier le V.
Meyrueis
Viaduc de Millau
Millau
Trèves
Réquista
St-Rome-de-Tarn
La Cavalerie
St-Jean-du-Bruel
Nant
Valderiès
Valence-d'Albigeois
St-Affrique
Roquefort-s-Soulzon
St-Juéry
La Couvertoirade
St-Sernin-s-Rance
Cornus
Villefranche-d'Albigeois
Alban
Le Caylar
Camarès
Belmont-s-Rance
Montredon-Labessonnié
Lodève
Lacaune
Le Bousquet-d'Orb
Lunas
Vabre
Monts de Lacaune
Murat-s-Vèbre
St-Gervais-s-Mare
Roquecourbe
Brassac
Lamalou-les-Bains
Clermont-l'Hérault
Castres
La Salvetat-s-Agout
Bédarieux
Anglès
Olargues
Labruguière
Roquebrun
Roujan
Mazamet
Labastide-Rouairoux
St-Pons-de-Thomières
Murviel-lès-Béziers
Pézenas
St-Amans-Soult
Servian
Montagne Noire
St-Chinian
Béziers
Saissac
Mas-Cabardès
Puisserguier
Caunes-Minervois
Capestang
Vias
Peyriac-Minervois
Olonzac
Canal du Midi
CARCASSONNE
Coursan
Valras-Plage
Narbonne
Capendu
Lézignan-Corbières
Narbonne-Plage
DEUX MERS
Gruissan
Abbe de Fontfroide
St-Hilaire
Lagrasse
Limoux
Sigean
AUDE
Durban-Corbières
Port-la-Nouvelle
Mouthoumet
Couiza
Rennes-les-Bains
Chau de Peyrepertuse
Tuchan
Quillan
Salses-le-Château
Port-Leucate
St-Paul-de-Fenouillet
Port-Barcarès
Axat
Rivesaltes
St-Laurent-de-la-Salanque
Latour-de-France
Sournia
Estagel
PERPIGNAN
C. de Jau
Millas
Ille-s-Têt
Canet-Plage
Molitg-les-Bains
Prades
Vinça
Thuir
St-Cyprien-Plage
PYRÉNÉES-ORIENTALES
Elne
Argelès-s-M.
Olette
Vernet-les-Bains
Collioure
St Martin
Pic du Canigou
Céret
Port-Vendres
Le Boulou
Banyuls-s-M.
Amélie-les-Bains-Palalda
Arles-s-Tech
Le Perthus
Cerbère
Roc de France
La Jonquera
Portbou
Col d'Ares
Prats-de-Mollo-la-Preste
Capmany
El Port de Llançà
Setcases
P. de Boadella
El Port de la Selva
Queralbs
Llançà
Camprodon
S. Pere de Rodes
Cadaquès
Ribes de Freser
Sant Pau de Segurles
Figueres
Roses
Sant Joan de les Abadesses
Castellfollit de la Roca
Castelló d'Empúries
Collado de Coubet
Olot
Besalú
Golf de Roses
Puigsacalm
Bàscara
El Fluvià
Empúries
L'Escala
Sant Quirze de Besora
Sta Pau
Banyoles
Viladamat

34

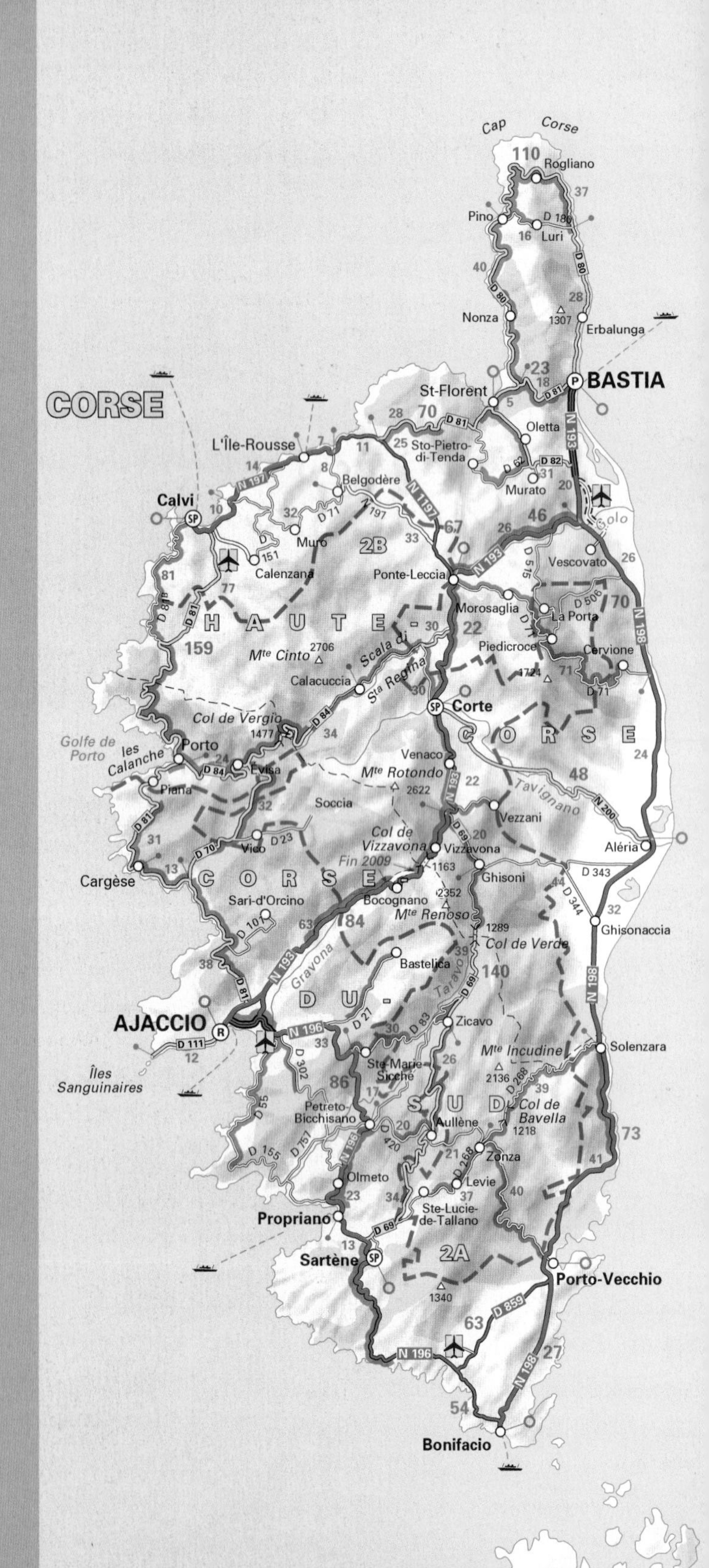
CORSE
Cap Corse
Rogliano
Pino
Luri
Nonza
Erbalunga
BASTIA
St-Florent
Oletta
L'Île-Rousse
Sto-Pietro-di-Tenda
Murato
Belgodère
Calvi
Muro
Calenzana
Ponte-Leccia
Vescovato
Golo
HAUTE-CORSE
2B
Morosaglia
La Porta
Piedicroce
Cervione
Mte Cinto
Scala di Sta Regina
Calacuccia
Corte
Col de Vergio
Golfe de Porto
les Calanche
Porto
Evisa
Piana
Venaco
Mte Rotondo
Tavignano
Soccia
Vezzani
Vico
Col de Vizzavona
Vizzavona
Aléria
Fin 2009
Ghisoni
Cargèse
CORSE-DU-SUD
Sari-d'Orcino
Bocognano
Mte Renoso
Ghisonaccia
Col de Verde
Bastelica
Gravona
Taravo
Zicavo
AJACCIO
Solenzara
Mte Incudine
Îles Sanguinaires
Ste-Marie-Sicché
Col de Bavella
Petreto-Bicchisano
Aullène
Zonza
Olmeto
Levie
Propriano
Ste-Lucie-de-Tallano
Sartène
2A
Porto-Vecchio
Bonifacio

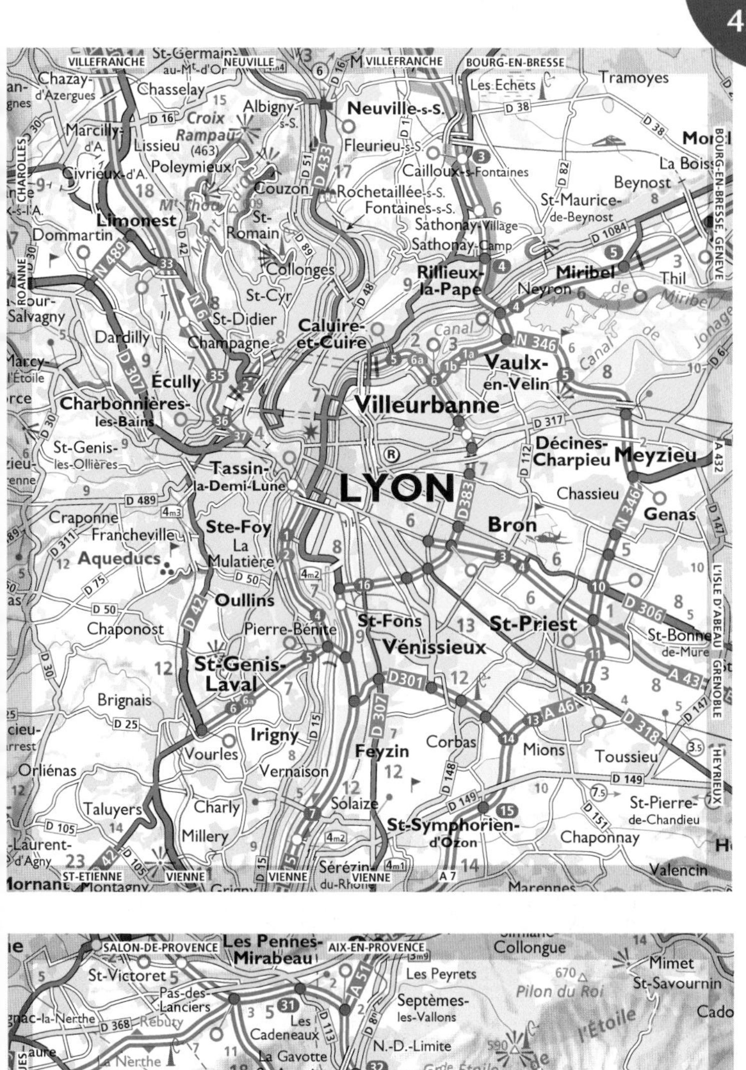
VILLEFRANCHE
NEUVILLE
VILLEFRANCHE
BOURG-EN-BRESSE
St-Germain-au-Mt-d'Or
Chazay-d'Azergues
Chasselay
Albigny-s-S.
Neuville-s-S.
Les Echets
Tramoyes
Marcilly-d'A.
Croix Rampau
(463)
Lissieu
Poleymieux
Fleurieu-s-S.
Cailloux-s-Fontaines
La Boisse
Beynost
Civrieux-d'A.
Couzon
Rochetaillée-s-S.
Fontaines-s-S.
St-Maurice-de-Beynost
Limonest
St-Romain
Sathonay-Village
Sathonay-Camp
Dommartin
Collonges
Rillieux-la-Pape
Miribel
Thil
Neyron
St-Cyr
St-Didier
Salvagny
Dardilly
Champagne
Caluire-et-Cuire
Canal de Miribel
Canal de Jonage
Vaulx-en-Velin
Écully
Charbonnières-les-Bains
Villeurbanne
Décines-Charpieu
Meyzieu
St-Genis-les-Ollières
Tassin-la-Demi-Lune
LYON
Chassieu
Genas
Craponne
Francheville
Ste-Foy
La Mulatière
Bron
Aqueducs
Oullins
St-Priest
Chaponost
Pierre-Bénite
St-Fons
Vénissieux
St-Bonnet-de-Mure
St-Genis-Laval
Brignais
Irigny
Corbas
Mions
Feyzin
Toussieu
Vourles
Orliénas
Vernaison
Solaize
St-Pierre-de-Chandieu
Taluyers
Charly
St-Symphorien-d'Ozon
Millery
Chaponnay
Sérézin-du-Rhône
Valencin
Mornant
Montagny
ST-ETIENNE
VIENNE
VIENNE
VIENNE
A 7
Marennes
CHAROLLES
ROANNE
BOURG-EN-BRESSE, GENÈVE
L'ISLE D'ABEAU, GRENOBLE
HEYRIEUX
N 489
D 307
N 6
N 346
D 383
D 301
A 46
A 43
D 306
D 318
D 149
D 489
D 42
D 50
D 25
D 105
D 433
D 317

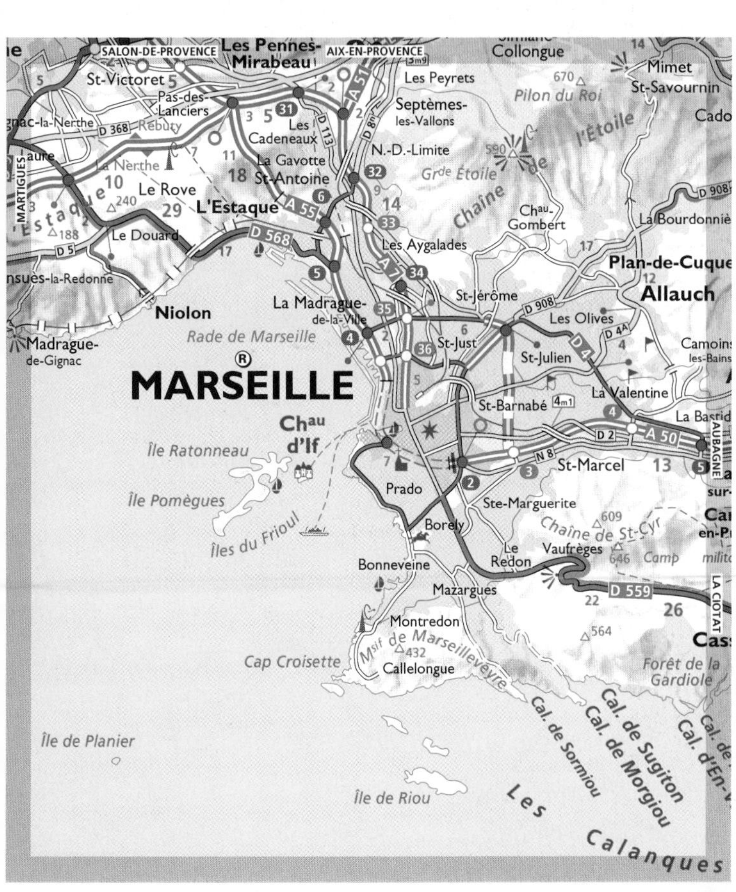
SALON-DE-PROVENCE
Les Pennes-Mirabeau
AIX-EN-PROVENCE
Collongue
Mimet
St-Savournin
St-Victoret
Les Peyrets
670
Pilon du Roi
Pas-des-Lanciers
Septèmes-les-Vallons
Chaîne de l'Étoile
Rebuty
Les Cadeneaux
La Gavotte
St-Antoine
N.-D.-Limite
590
Grde Étoile
La Nerthe
Le Rove
240
L'Estaque
Chau-Gombert
La Bourdonnière
188
Le Douard
Les Aygalades
Plan-de-Cuques
Allauch
St-Jérôme
Les Olives
Niolon
La Madrague-de-la-Ville
St-Just
St-Julien
Camoins-les-Bains
Madrague-de-Gignac
Rade de Marseille
MARSEILLE
La Valentine
Chau d'If
St-Barnabé
La Bastide
Île Ratonneau
St-Marcel
Île Pomègues
Prado
Ste-Marguerite
Borely
Chaîne de St-Cyr
609
Îles du Frioul
Le Redon
Vaufrèges
646
Camp
Bonneveine
Mazargues
Montredon
564
Msif de Marseilleveyre
432
Cap Croisette
Callelongue
Forêt de la Gardiole
Île de Planier
Cal. de Sormiou
Cal. de Morgiou
Cal. de Sugiton
Île de Riou
Les Calanques
MARTIGUES
AUBAGNE
LA CIOTAT
D 368
D 568
A 55
A 51
A 7
D 908
D 4
N 8
A 50
D 559
D 2

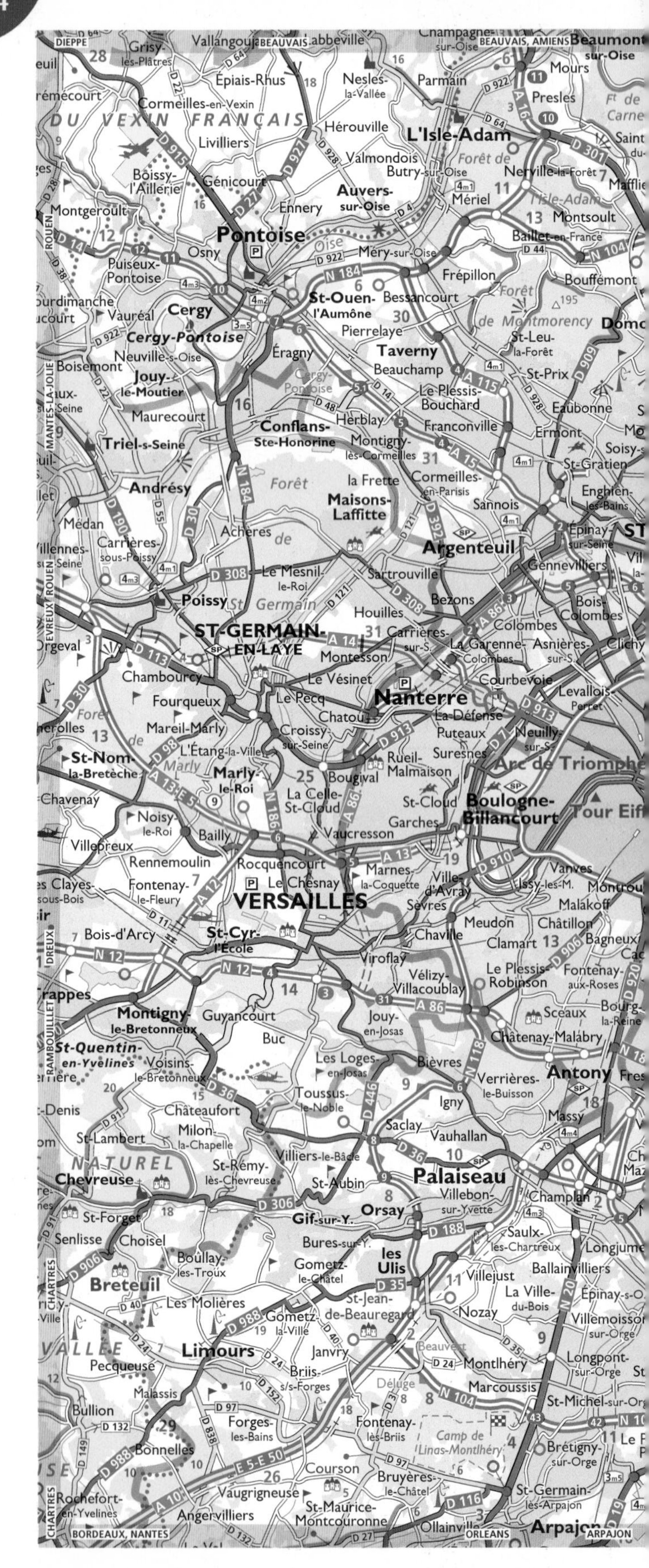
DIEPPE
BEAUVAIS, Abbeville
BEAUVAIS, AMIENS
Beaumont-sur-Oise
Grisy-les-Plâtres
Vallangoujard
Épiais-Rhus
Nesles-la-Vallée
Parmain
Mours
Presles
Frémécourt
Cormeilles-en-Vexin
DU VEXIN FRANÇAIS
Hérouville
L'Isle-Adam
Forêt de L'Isle-Adam
Livilliers
Valmondois
Butry-sur-Oise
Nerville-la-Forêt
Boissy-l'Aillerie
Génicourt
Auvers-sur-Oise
Mériel
Montgeroult
Ennery
Montsoult
Baillet-en-France
Pontoise
Osny
Méry-sur-Oise
Puiseux-Pontoise
Frépillon
Bouffémont
St-Ouen-l'Aumône
Bessancourt
Forêt de Montmorency
Vauréal
Cergy
Cergy-Pontoise
Pierrelaye
St-Leu-la-Forêt
Neuville-s-Oise
Éragny
Taverny
Boisemont
Jouy-le-Moutier
Beauchamp
St-Prix
Le Plessis-Bouchard
Eaubonne
Herblay
Maurecourt
Conflans-Ste-Honorine
Franconville
Ermont
Montigny-lès-Cormeilles
Soisy-s
Triel-s-Seine
St-Gratien
Forêt
la Frette
Cormeilles-en-Parisis
Andrésy
Maisons-Laffitte
Sannois
Enghien-les-Bains
Médan
Achères
Épinay-sur-Seine
Carrières-sous-Poissy
Argenteuil
Villennes-s-Seine
Le Mesnil-le-Roi
Sartrouville
Gennevilliers
Poissy
St Germain
Bezons
Bois-Colombes
Houilles
ST-GERMAIN-EN-LAYE
Carrières-sur-S.
Colombes
Orgeval
Montesson
La Garenne-Colombes
Asnières-sur-S.
Clichy
Chambourcy
Le Vésinet
Courbevoie
Fourqueux
Le Pecq
Nanterre
Levallois-Perret
Chatou
La Défense
Mareil-Marly
Puteaux
Neuilly-sur-S.
L'Étang-la-Ville
Croissy-sur-Seine
St-Nom-la-Bretèche
Forêt de Marly
Rueil-Malmaison
Suresnes
Arc de Triomphe
Marly-le-Roi
Bougival
Chavenay
La Celle-St-Cloud
St-Cloud
Boulogne-Billancourt
Tour Eiffel
Noisy-le-Roi
Garches
Bailly
Vaucresson
Villepreux
Rennemoulin
Rocquencourt
Marnes-la-Coquette
Ville-d'Avray
Vanves
Les Clayes-sous-Bois
Fontenay-le-Fleury
Le Chesnay
Issy-les-M.
Montrouge
VERSAILLES
Sèvres
Malakoff
Bois-d'Arcy
St-Cyr-l'École
Meudon
Châtillon
Chaville
Clamart
Bagneux
Viroflay
Le Plessis-Robinson
Fontenay-aux-Roses
Trappes
Vélizy-Villacoublay
Montigny-le-Bretonneux
Guyancourt
Jouy-en-Josas
Sceaux
Bourg-la-Reine
Buc
Châtenay-Malabry
St-Quentin-en-Yvelines
Voisins-le-Bretonneux
Les Loges-en-Josas
Bièvres
Antony
Toussus-le-Noble
Verrières-le-Buisson
Châteaufort
Igny
Massy
Milon-la-Chapelle
Saclay
St-Lambert
Vauhallan
NATUREL
St-Rémy-lès-Chevreuse
Villiers-le-Bâcle
Chevreuse
Palaiseau
St-Aubin
Villebon-sur-Yvette
Champlan
St-Forget
Orsay
Gif-sur-Y.
Saulx-les-Chartreux
Senlisse
Choisel
Bures-sur-Y.
Longjumeau
Boullay-les-Troux
Gometz-le-Châtel
les Ulis
Ballainvilliers
Villejust
Breteuil
La Ville-du-Bois
Épinay-s-O.
Les Molières
St-Jean-de-Beauregard
Nozay
Villemoisson-sur-Orge
Gometz-la-Ville
Limours
Janvry
Beauvert
Pecqueuse
Briis-s/s-Forges
Montlhéry
Longpont-sur-Orge
Malassis
Déluge
Marcoussis
St-Michel-sur-Orge
Bullion
Forges-les-Bains
Fontenay-lès-Briis
Camp de Linas-Montlhéry
Brétigny-sur-Orge
Bonnelles
Courson
Bruyères-le-Châtel
Vaugrigneuse
St-Germain-lès-Arpajon
Rochefort-en-Yvelines
St-Maurice-Montcouronne
Angervilliers
Ollainville
Arpajon
BORDEAUX, NANTES
ORLEANS
ARPAJON
CHARTRES
RAMBOUILLET
DREUX
EVREUX ROUEN
MANTES-LA-JOLIE
ROUEN

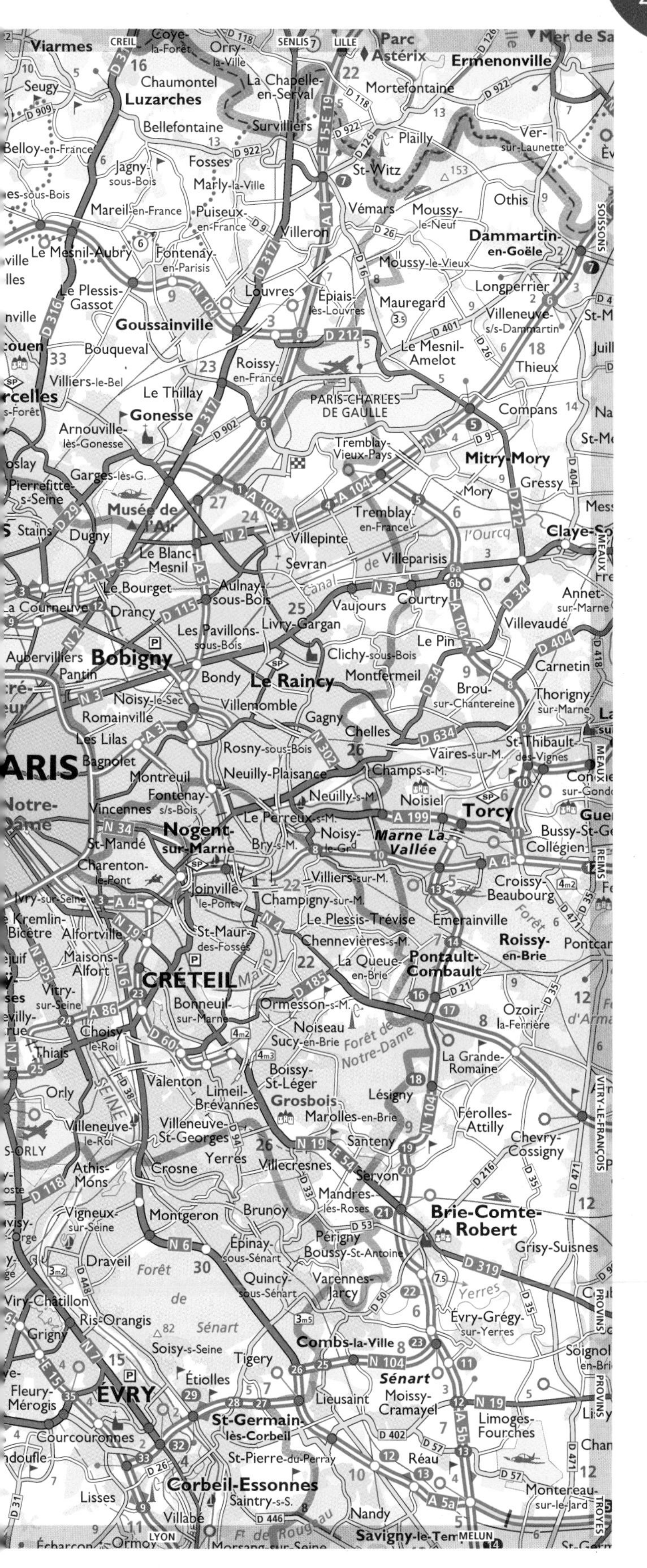
Viarmes
CREIL
Coye-la-Forêt
Orry-la-Ville
SENLIS
LILLE
Parc Astérix
Mer de Sable
Ermenonville
Seugy
Chaumontel
Luzarches
La Chapelle-en-Serval
Mortefontaine
Bellefontaine
Survilliers
Plailly
Ver-sur-Launette
Belloy-en-France
Jagny-sous-Bois
Fosses
St-Witz
Marly-la-Ville
Othis
Mareil-en-France
Puiseux-en-France
Vémars
Moussy-le-Neuf
Villeron
Dammartin-en-Goële
Le Mesnil-Aubry
Fontenay-en-Parisis
Moussy-le-Vieux
Louvres
Epiais-lès-Louvres
Mauregard
Longperrier
Le Plessis-Gassot
Villeneuve-s/s-Dammartin
Goussainville
Bouqueval
Roissy-en-France
Le Mesnil-Amelot
Thieux
Villiers-le-Bel
Le Thillay
PARIS-CHARLES DE GAULLE
Compans
Gonesse
Arnouville-lès-Gonesse
Tremblay-Vieux-Pays
Mitry-Mory
Garges-lès-G.
Mory
Gressy
Pierrefitte-s-Seine
Musée de l'Air
Tremblay-en-France
Stains
Dugny
Villepinte
l'Ourcq
Claye-Souilly
Le Blanc-Mesnil
Sevran
Canal de
Villeparisis
Le Bourget
Aulnay-sous-Bois
Courtry
Annet-sur-Marne
La Courneuve
Drancy
Vaujours
Villevaudé
Les Pavillons-sous-Bois
Livry-Gargan
Le Pin
Aubervilliers
Bobigny
Clichy-sous-Bois
Carnetin
Pantin
Bondy
Le Raincy
Montfermeil
Brou-sur-Chantereine
Thorigny-sur-Marne
Noisy-le-Sec
Villemomble
Romainville
Gagny
Chelles
Les Lilas
Rosny-sous-Bois
Vaires-sur-M.
St-Thibault-des-Vignes
Bagnolet
PARIS
Neuilly-Plaisance
Champs-s-M.
Montreuil
Neuilly-s-M.
Noisiel
Torcy
Fontenay-s/s-Bois
Vincennes
Le Perreux-s-M.
Bussy-St-Georges
Nogent-sur-Marne
Noisy-le-Grd
Marne La Vallée
Collégien
St-Mandé
Bry-s-M.
Charenton-le-Pont
Villiers-sur-M.
Croissy-Beaubourg
Joinville-le-Pont
Champigny-sur-M.
Ivry-sur-Seine
Le Kremlin-Bicêtre
Alfortville
Le Plessis-Trévise
Émerainville
St-Maur-des-Fossés
Chennevières-s-M.
Roissy-en-Brie
Pontcarré
Maisons-Alfort
Pontault-Combault
La Queue-en-Brie
Vitry-sur-Seine
CRÉTEIL
Bonneuil-sur-Marne
Ormesson-s-M.
Ozoir-la-Ferrière
Choisy-le-Roi
Noiseau
Sucy-en-Brie
Forêt de Notre-Dame
Thiais
La Grande-Romaine
Valenton
Boissy-St-Léger
Orly
Limeil-Brévannes
Grosbois
Lésigny
Villeneuve-le-Roi
Villeneuve-St-Georges
Marolles-en-Brie
Férolles-Attilly
Santeny
Chevry-Cossigny
Athis-Mons
Crosne
Yerres
Villecresnes
Servon
Mandres-les-Roses
Vigneux-sur-Seine
Montgeron
Brunoy
Brie-Comte-Robert
Épinay-sous-Sénart
Périgny
Draveil
Forêt de Sénart
Boussy-St-Antoine
Grisy-Suisnes
Quincy-sous-Sénart
Varennes-Jarcy
Viry-Châtillon
Ris-Orangis
Yerres
Évry-Grégy-sur-Yerres
Grigny
Soisy-s-Seine
Combs-la-Ville
Tigery
Soignolles-en-Brie
Étiolles
Sénart
Fleury-Mérogis
ÉVRY
Lieusaint
Moissy-Cramayel
Limoges-Fourches
St-Germain-lès-Corbeil
Courcouronnes
St-Pierre-du-Perray
Réau
Corbeil-Essonnes
Saintry-s-S.
Montereau-sur-le-Jard
Lisses
Villabé
Nandy
Ft de Rougeau
LYON
Savigny-le-Temple
MELUN
Ormoy
SOISSONS
MEAUX
REIMS
VITRY-LE-FRANÇOIS
PROVINS
TROYES

Amiens	Angers	Bayonne	Besançon	Bordeaux	Brest	Caen	Calais	Cherbourg	Clermont-Ferrand	Dijon	Grenoble	Le Havre	Lille	Limoges	Lyon	Le Mans	Marse
422																	
884	563																
551	647	915															
704	383	191	734														
629	378	830	962	633													
256	254	775	648	596	376												
167	512	1033	651	854	719	345											
379	375	880	770	682	426	125	468										
557	448	550	368	371	834	594	708	720									
471	551	835	94	670	865	550	574	674	305								
710	730	824	318	688	1123	808	870	932	298	303							
185	331	852	610	673	469	96	274	220	573	514	770						
139	514	967	582	788	763	390	111	513	642	505	798	319					
527	265	407	498	227	650	490	678	610	227	434	542	541	610				
600	578	749	257	567	1013	698	760	822	178	193	115	661	693	423			
335	96	608	577	428	397	166	424	286	434	481	713	242	426	322	562		
912	908	697	541	647	1285	1009	1072	1132	476	504	274	972	1004	609	314	893	
360	618	1071	269	892	915	569	462	692	570	273	566	541	366	715	459	529	770
882	773	531	529	482	1120	919	1033	1039	335	492	297	896	966	434	303	758	171
547	731	1039	136	857	1028	713	684	837	492	219	434	676	597	620	381	642	694
375	633	1066	208	881	896	550	478	674	516	219	512	556	420	644	405	510	716
509	90	513	735	334	299	294	598	341	537	638	817	386	601	351	666	186	969
1067	1063	852	669	803	1441	1165	1227	1289	631	660	328	1128	1161	765	471	1048	204
269	245	626	406	447	542	320	420	444	299	310	566	283	353	269	458	144	758
135	295	749	411	569	592	234	289	357	423	315	571	197	222	392	463	206	775
983	753	497	677	447	1085	978	1134	1098	436	640	444	998	1067	493	451	810	318
173	432	886	378	706	729	383	275	506	535	301	594	355	209	529	487	343	798
441	134	629	723	450	243	188	530	236	596	627	875	280	574	422	725	160	1049
124	298	820	544	640	500	127	213	251	507	448	704	90	258	477	596	209	908
623	581	720	289	538	960	727	820	847	149	253	156	704	754	394	64	565	334
518	776	1153	249	971	1073	727	621	850	606	333	534	699	524	734	495	687	808
976	972	761	605	711	1350	1073	1136	1197	540	568	329	1036	1069	674	379	957	67
815	553	299	737	247	885	778	966	898	376	674	530	829	899	294	537	610	406
373	123	515	518	336	498	264	522	384	341	421	621	341	457	230	470	97	800

DISTANCES ENTRE PRINCIPALES VILLES
DISTANCES BETWEEN MAJOR TOWNS
ENTFERNUNGEN ZWISCHEN DEN GRÖSSEREN STÄDTEN
DISTANZE TRA LE PRINCIPALI CITTÀ

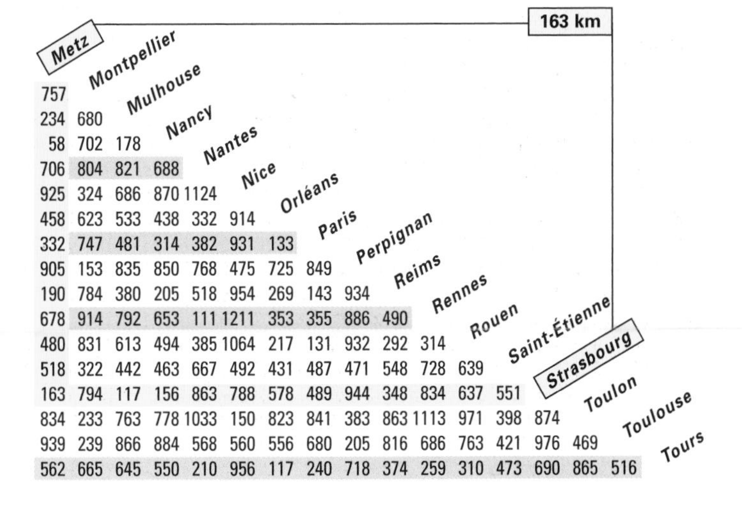

	Metz	Montpellier	Mulhouse	Nancy	Nantes	Nice	Orléans	Paris	Perpignan	Reims	Rennes	Rouen	Saint-Étienne	Strasbourg	Toulon	Toulouse
Montpellier	757															
Mulhouse	234	680														
Nancy	58	702	178													
Nantes	706	804	821	688												
Nice	925	324	686	870	1124											
Orléans	458	623	533	438	332	914										
Paris	332	747	481	314	382	931	133									
Perpignan	905	153	835	850	768	475	725	849								
Reims	190	784	380	205	518	954	269	143	934							
Rennes	678	914	792	653	111	1211	353	355	886	490						
Rouen	480	831	613	494	385	1064	217	131	932	292	314					
Saint-Étienne	518	322	442	463	667	492	431	487	471	548	728	639				
Strasbourg	163	794	117	156	863	788	578	489	944	348	834	637	551			
Toulon	834	233	763	778	1033	150	823	841	383	863	1113	971	398	874		
Toulouse	939	239	866	884	568	560	556	680	205	816	686	763	421	976	469	
Tours	562	665	645	550	210	956	117	240	718	374	259	310	473	690	865	516

De par l'évolution rapide des données, il n'est pas totalement exclu que certaines d'entre elles ne soient pas complètement exactes ou exhaustives. MICHELIN décline toute responsabilité en cas d'omissions, imperfections et/ou erreurs.
Merci de bien vouloir faire part à
MICHELIN
Cartes et Guides
46, av. de Breteuil
75324 PARIS CEDEX 07
www.cartesetguides.michelin.fr
www.ViaMichelin.com
des erreurs ou omissions constatées afin que nous les corrigions et les complétions.

CARTE STRADALI E TURISTICHE PUBBLICAZIONE PERIODICA
Reg. Trib. di Milano n. 80 del 24/02/1997 Dir. Resp. FERRUCCIO ALONZI.

Dressée par la Manufacture Française des Pneumatiques MICHELIN

Sté en commandite par actions au capital de 304 000 000 EUR
R.C.S. Clermont-Ferrand B 855 200 507 - Place des Carmes-Déchaux 63 Clermont-Ferrand (France)
Imprimé en Italie - La Tipografica Varese - 21100 VARESE - DL : JANVIER 2009